A-Z ST. A[...]

G000298619

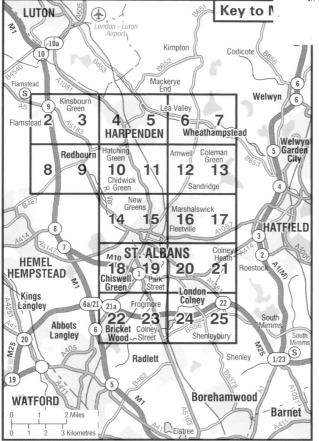

Key to M[...]

A Road	A414
B Road	B653
Dual Carriageway	
One Way Street Traffic flow on A roads is indicated by a heavy line on the drivers' left	→
Track	======
Footpath	------
Residential Walkway	··········
Railway	Station
Built Up Area	
Local Authority Boundary	— · —
Posttown Boundary	——
Postcode Boundary within Posttown	— — —
Map Continuation	10
Car Park selected	P
Church or Chapel	†
Fire Station	■
Hospital	H
House Numbers A & B Roads only	22 11
Information Centre	i
National Grid Reference	520
Police Station	▲
Post Office	★
Toilet with Facilities for the Disabled	▽ ♿

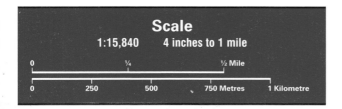

Scale
1:15,840   4 inches to 1 mile

0   ¼   ½ Mile

0   250   500   750 Metres   1 Kilometre

Copyright of Geographers' A-Z Map Company Limited

Head Office : Fairfield Road, Borough Green, Sevenoaks, Kent TN15 8PP Tel: 01732 781000
Showrooms : 44 Gray's Inn Road, London WC1X 8HX Tel: 0171 242 9246

The Maps in this Atlas are based upon the Ordnance Survey mapping with the permission of the Controller of Her Majesty's Stationery Office

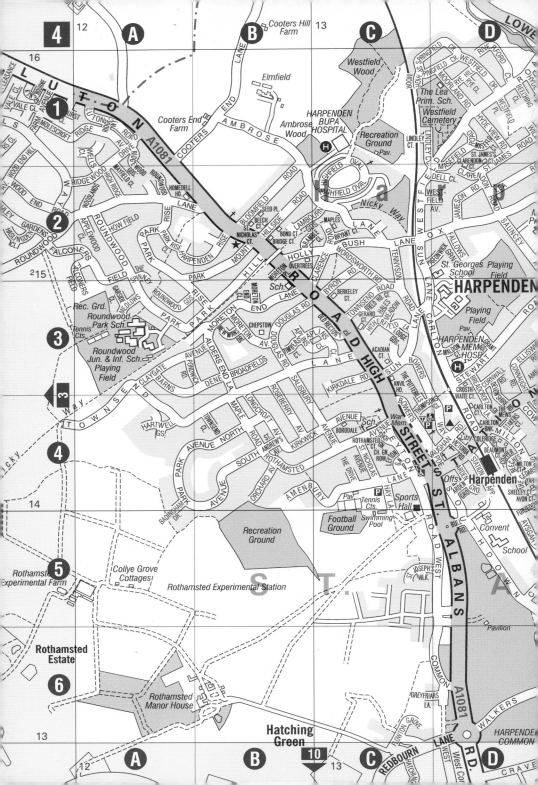

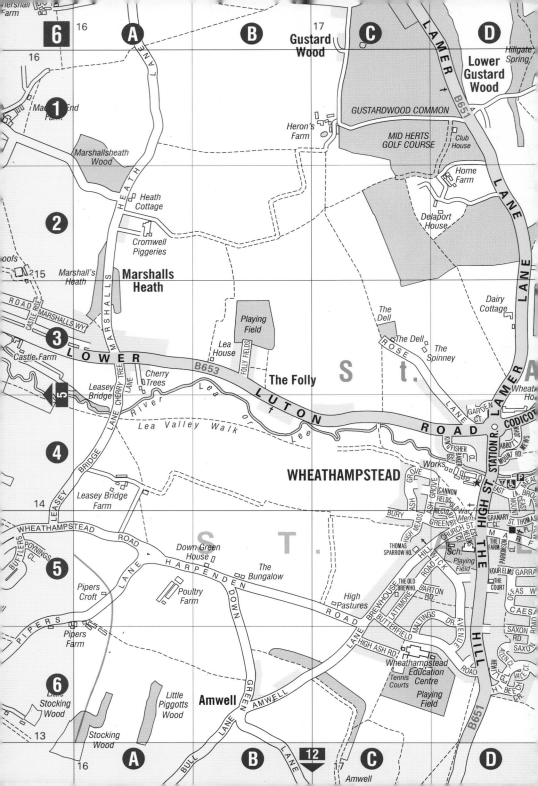

Round Spring

Bride Hall

LAMER PARK

1

Stocking Springs

Little Norfolk Wood

Great Norfolk Wood

Lamer Farm

Welwyn

ROAD

AL6

2

Scratching Grove

Threegroves Wood

2 15

Cherrytree Spring

3

l b a n s

CODICOTE LANE

Robinson's Wood

CORY-WRIGHT

Black Bridge

4

The Watersplash

Lea Valley Walk

Sewage Works

SHEEPCOTE LANE

River Lea or Lee

Sports Ground

AL4

B653

14

B I A N S

Marford Farm

Gray's Wood

The White Cottage

5

WAY

ROAD

WATEREND LANE

Charlies Croft

CONQUERORS HILL

TUDOR RD.

NECTON RD.

MARFORD B653

ROAD

BATTLE VIEW ROAD

LAMB CT.

RIES RD.

Devil's Dyke

BEECH HYDE LANE

David's Dingle

GREEN LANE

SMALL WD. CL.

HOUSDEN CL.

DAVY'S CL.

The Slad

Chalkdell Farm

6

Belgic Oppidum

Samuels Farm

DYKE

Beech Hyde Farm

BEECH HYDE LA.

13

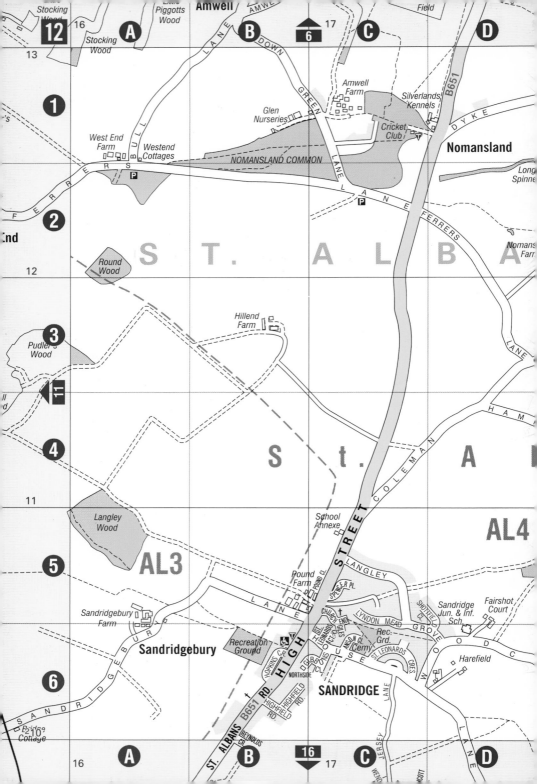

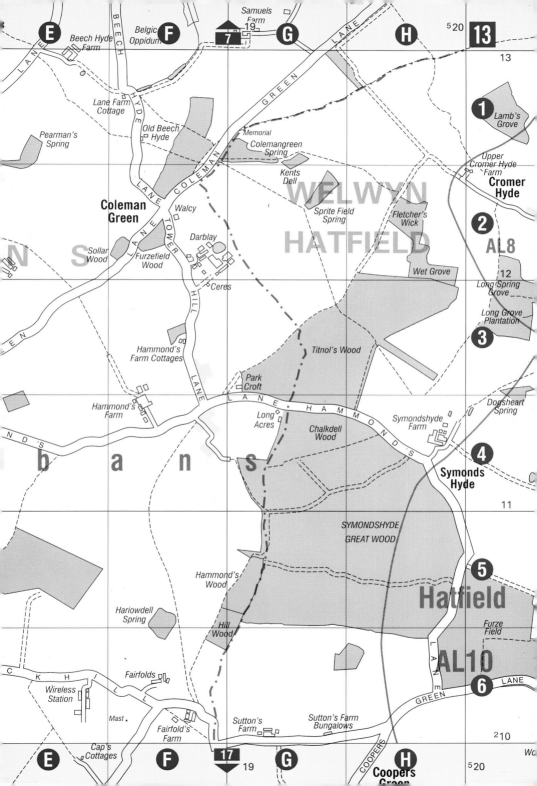

12 River

210

A   B   ↑ **10** 13   C   D

New Jerome Cottage

1

Mill Race

Ver Colne Valley Walk

The Plantation

2 HOGG END LANE

R E D B O U R N

09

Dam
Corn Mill

Shafford Farm

Ladygrove

Ladies Grove Wood

Batch Wood

A

The Pondyards

Shafford House

Shafford Cottages

Whitehedge Spring

Tennis Courts

BATCHWOOD HALL

Fish Ponds

Bow Bri

A5183

Keepers Cottage

Bowling Green

Club Ho.

Putting Green

3

River

BATCHWOOD GOLF COU

Devil's Ditch

Maynes Farm

Prae Mill Cottage

Saw Mill

Cattle Grid

Cattle Grid

4 Cattle Grid

Pre Mill House

Pre Cottage

Ver

A

08

Churchyard Meadow

R O A D

BATCH

Shepherds Cottages

5

Fosse

Gorham Block

AL3

VERUL

DOWNEDGE Rec Gd

CAMLET W MLET WI FTH MEAD

Dairy Mus.

LADIES

6 PRAE

Lord Bacon's Mount

The

Roman

Roman Theatre

VERULAMIUM Roman Town

HEMEL HEMPSTEAD RD.

A4147 RD.

PRAE SchCl BLACK ST.FIS ST. MICHAELS Sch

Ford

BRANCH

Darrowfield Mus. House

ST. MICHAELS

07 Fish Ponds

WOOD

Wall (course of)

Vicarage

P T L

Pav.

Pavilion

12

Prae Wood House

A Settlement

B Praewood Farm

▼ **18** 13

Cattle

BLUE HO. HILL

C

Tennis Court

RECREATION GROUND

D

Tennis Courts

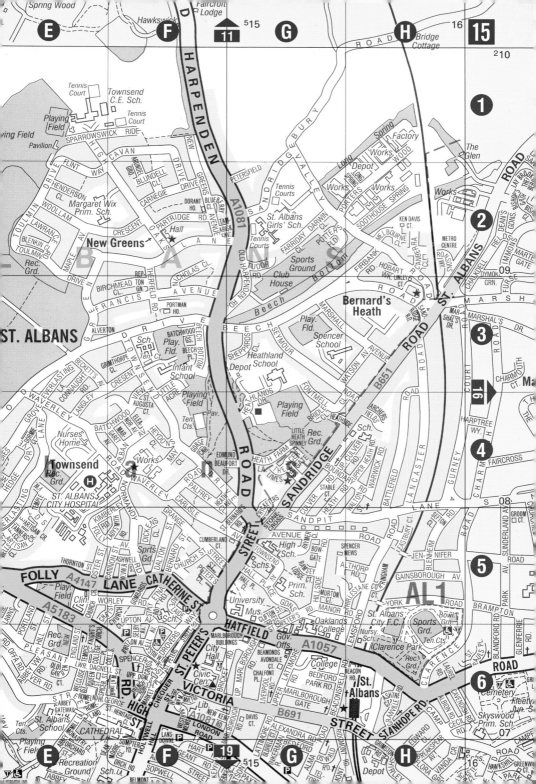

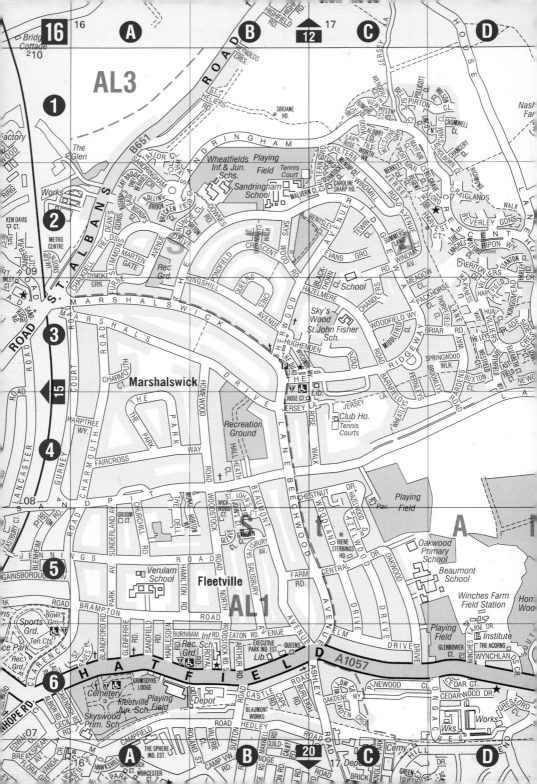

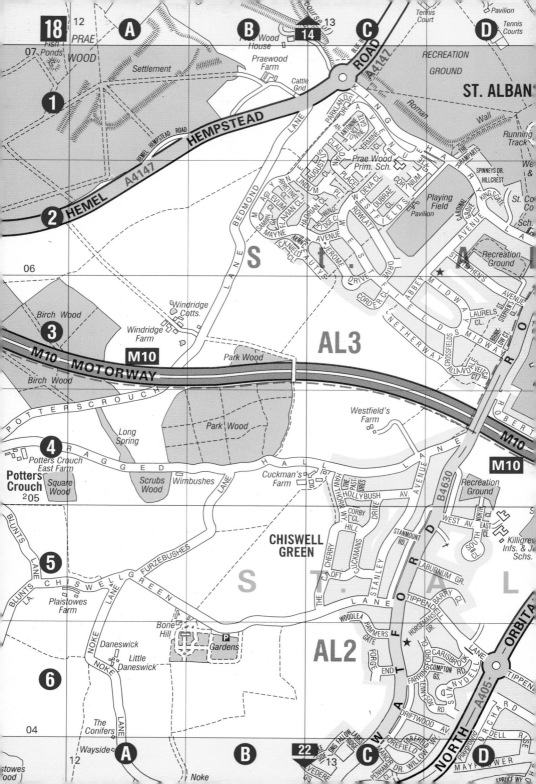

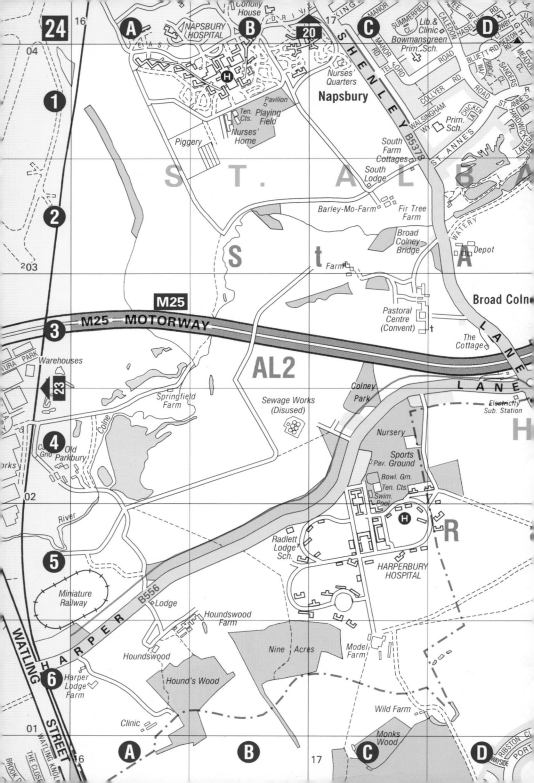

INDEX TO STREETS

HOW TO USE THIS INDEX

1. Each street name is followed by its Posttown or Postal Locality and then by its map reference; e.g. Abbey Av. *St Alb* —3C **18** is in the St Albans Posttown and is to be found in square 3C on page **18**. The page number being shown in bold type.
A strict alphabetical order is followed in which Av., Rd., St., etc. (though abbreviated) are read in full and as part of the street name; e.g. Ashcroft Clo. appears after Ash Copse but before Ashdales.

2. Streets and a selection of Subsidiary names not shown on the Maps, appear in the index in *Italics* with the thoroughfare to which it is connected shown in brackets; e.g. *Alban Ct. St Alb* —6B **16** *(off Burleigh Rd.)*

GENERAL ABBREVIATIONS

All : Alley
App : Approach
Arc : Arcade
Av : Avenue
Bk : Back
Boulevd : Boulevard
Bri : Bridge
B'way : Broadway
Bldgs : Buildings
Bus : Business
Cvn : Caravan
Cen : Centre
Chu : Church
Chyd : Churchyard
Circ : Circle

Cir : Circus
Clo : Close
Comn : Common
Cotts : Cottages
Ct : Court
Cres : Crescent
Dri : Drive
E : East
Embkmt : Embankment
Est : Estate
Gdns : Gardens
Ga : Gate
Gt : Great
Grn : Green
Gro : Grove

Ho : House
Ind : Industrial
Junct : Junction
La : Lane
Lit : Little
Lwr : Lower
Mnr : Manor
Mans : Mansions
Mkt : Market
M : Mews
Mt : Mount
N : North
Pal : Palace
Pde : Parade
Pk : Park

Pas : Passage
Pl : Place
Quad : Quadrant
Rd : Road
S : South
Sq : Square
Sta : Station
St : Street
Ter : Terrace
Trad : Trading
Up : Upper
Vs : Villas
Wlk : Walk
W : West
Yd : Yard

POSTTOWN AND POSTAL LOCALITY ABBREVIATIONS

Ay L : Ayot St. Lawrence
Brick : Brickendon
Brick W : Bricket Wood
C'bry : Childwickbury
C'bry : Cholesbury
Col H : Colney Heath
Col S : Colney Street

Flam : Flamstead
Frog : Frogmore
Hpdn : Harpenden
Hem H : Hemel Hempstead
Lon C : London Colney
Mark : Markyate
Marsh : Marshalswick

Naps : Napsbury
Oakl : Oaklands
Park : Park Street
Rad : Radlett
Redb : Redbourn
St Alb : St Albans
Sandr : Sandridge

Shenl : Shenley
Smal : Smallford
Tyngr : Tyttenhanger
Wat : Watford
Wheat : Wheathampstead

INDEX TO STREETS

Abbey Av. *St Alb* —3C **18**
Abbey Gateway. *St Alb* —6E **15**
Abbey Mill End. *St Alb* —1E **19**
Abbey Mill La. *St Alb* —1E **19**
Abbey View. *St Alb* —2F **19**
Abbey View Rd. *St Alb* —6E **15**
Abbots Av. *St Alb* —3G **19**
Abbots Av. W. *St Alb* —3F **19**
Abbots Pk. *St Alb* —2A **20**
Abbott John M. *Wheat* —4D **6**
Acacia Wlk. *Hpdn* —1F **11**
Acers. *Park* —2E **23**
Acorns, The. *St Alb* —6D **16**
Acrewood Way. *St Alb* —6F **17**
Adelaide St. *St Alb* —5F **15**
Admirals Wlk. *St Alb* —3A **20**
Akeman Clo. *St Alb* —2B **18**
Alban Av. *St Alb* —4F **15**
Alban Ct. St Alb —6B **16**
 (off Burleigh Rd.)
Albany Ct. *Hpdn* —5E **5**
Albany Ga. St Alb —1F **19**
 (off Belmont Hill)
Albany M. St Alb —1C **22**
 (off N. Orbital Rd.)
Albert St. *St Alb* —1F **19**
Albion Rd. *St Alb* —6H **15**
Aldbury Clo. *St Alb* —1C **16**
Alder Clo. *Park* —2E **23**
Alders End La. *Hpdn* —3B **4**
Aldwick. *St Alb* —2B **20**
Aldwickbury Cres. *Hpdn* —4F **5**
Aldwick Ct. *St Alb* —2B **20**
Aldwick Rd. *Hpdn* —5G **5**
Alexander Rd. *Lon C* —5C **20**
Alexandra Rd. *St Alb* —6G **15**

Alien Clo. *Wheat* —6D **6**
Allandale. *St Alb* —3D **18**
Allen Clo. *Shenl* —6E **25**
Allied Bus. Cen. *Hpdn* —1E **5**
Alma Cut. *St Alb* —1G **19**
Alma Rd. *St Alb* —1G **19**
Almonds, The. *St Alb* —4B **20**
Alsop Clo. *Lon C* —2E **25**
Althorp Rd. *St Alb* —5H **15**
Altwood. *Hpdn* —4F **5**
Alverton. *St Alb* —3E **15**
Alzey Gdns. *Hpdn* —5F **5**
Amberley Clo. *Hpdn* —3D **4**
Ambrose La. *Hpdn* —1B **4**
Amenbury La. *Hpdn* —4B **4**
Amwell La. *Wheat* —6B **6**
Annables La. *Hpdn* —1D **2**
Anson Clo. *Sandr* —6C **12**
Anson Clo. *St Alb* —2B **20**
Antonine Ct. *St Alb* —1C **18**
Antonine Ga. *St Alb* —1C **18**
Anvil Ho. *Hpdn* —3C **4**
Aplins Clo. *Hpdn* —3B **4**
Applecroft. *Park* —2D **22**
Apple Tree Gro. *Redb* —1F **9**
Applewood Clo. *Hpdn* —2A **4**
Approach Rd. *St Alb* —1G **19**
Aran Clo. *Hpdn* —1F **11**
Arcadian Ct. *St Alb* —3C **4**
Archers Clo. *Redb* —2F **9**
Archers Fields. *St Alb* —4H **15**
Arden Gro. *Hpdn* —4D **4**
Ardens Way. *St Alb* —4D **15**
Ardentinny. St Alb —1G **19**
 (off Grosvenor Rd.)
Armstrong Clo. *Lon C* —1E **25**
Armstrong Gdns. *Shenl* —6E **25**

Arretine Clo. *St Alb* —2B **18**
Arthur Rd. *St Alb* —6B **16**
Artisan Cres. *St Alb* —5E **15**
 (in two parts)
Art School Yd. St Alb —6F **15**
 (off Chequer St.)
Arundel Gro. *St Alb* —2F **15**
Ashbourne Ct. *St Alb* —3C **20**
Ashby Gdns. *St Alb* —4F **19**
Ash Copse. *Brick W* —5B **22**
Ashcroft Clo. *Hpdn* —5G **5**
Ashdales. *St Alb* —4F **19**
Ash Gro. *Wheat* —4C **6**
Ashley Gdns. *Hpdn* —2H **3**
Ashley Rd. *St Alb* —6C **16**
Ashridge Dri. *Brick W* —4A **22**
Ashwell Pk. *Hpdn* —4F **5**
Ashwell St. *St Alb* —5F **15**
Aspasia Clo. *St Alb* —1H **19**
Aspen Clo. *Brick W* —4A **22**
Aubrey Av. *Lon C* —6C **20**
Aubrey La. *Redb* —5C **8**
Augustus Clo. *St Alb* —2C **18**
Avalon Clo. *Wat* —6A **22**
Avenue Rd. *St Alb* —5G **15**
Avon Ct. *Hpdn* —4D **4**
Avondale Ct. *St Alb* —6G **15**
Ayres End La. *C'bry* —3E **11**
Ayres End La. *Hpdn* —6G **5**
Aysgarth Clo. *Hpdn* —5D **4**
Aysgarth Rd. *Redb* —1E **9**

Badingham Dri. *Hpdn* —4A **4**
Balfour Ct. Hpdn —2E **5**
 (off Station Rd.)
Balmoral Clo. *Park* —2E **23**

Bardwell Ct. *St Alb* —1F **19**
 (off Belmont Hill)
Bardwell Rd. *St Alb* —1F **19**
Barley Mow La. *St Alb* —3E **21**
Barlings Rd. *Hpdn* —2D **10**
Barncroft Way. *St Alb* —1A **20**
Barnet Rd. *Lon C* —1E **25**
Barnfield Ct. *Hpdn* —5E **5**
Barnfield Rd. *Hpdn* —5E **5**
Barnfield Rd. *St Alb* —3C **16**
Barns Dene. *Hpdn* —3A **4**
Barons Row. *Hpdn* —6F **5**
Barry Clo. *St Alb* —5D **18**
Bartlett Pl. *Wheat* —4D **6**
Barton Clo. *Hpdn* —2E **5**
Barton Rd. *Wheat* —5C **6**
Bassett Clo. *Redb* —2F **9**
Batchwood Dri. *St Alb* —4D **14**
Batchwood Gdns. *St Alb* —3F **15**
Batchwood Hall. *St Alb* —3D **14**
Batchwood View. *St Alb* —4E **15**
Batford Rd. *Hpdn* —2F **5**
Battlefield Rd. *St Alb* —4H **15**
Battleview. *Wheat* —5E **7**
Bay Tree Clo. *Park* —2E **23**
Beacon Ho. *St Alb* —6H **15**
Beaconsfield Rd. *St Alb* —6G **15**
Beamonds. *St Alb* —6G **15**
Beaumont Av. *St Alb* —4B **16**
Beaumont Ct. *Hpdn* —4D **4**
Beaumont Hall La. *St Alb* —5F **9**
Beaumont Works. *St Alb* —6B **16**
Beckett's Av. *St Alb* —3E **15**
Bedford Pk. Rd. *St Alb* —6G **15**
Bedford Rd. *St Alb* —1G **19**
Bedmond La. *St Alb* —2B **18**
Beech Bottom. *St Alb* —3F **15**

Beech Clo. *Hpdn* —2E **11**
Beech Ct. *Hpdn* —2B **4**
Beech Cres. *Wheat* —6D **6**
Beeches, The. *Park* —1F **23**
Beech Farm Dri. *St Alb* —2F **17**
Beechfield Clo. *Redb* —2F **9**
Beech Hyde La. *Wheat* —6F **7**
Beeching Clo. *Hpdn* —1D **4**
Beech Pl. *St Alb* —3F **15**
Beech Rd. *St Alb* —3G **15**
Beechwood Av. *St Alb* —4B **16**
Beesonend Cotts. *Hpdn* —3D **10**
Beesonend La. *St Alb* —5A **10**
Belgrave Clo. *St Alb* —2C **16**
Bell La. *Lon C* —3E **25**
Belmont Ct. *Hpdn* —1F **19**
Belmont Hill. *St Alb* —1F **19**
Belsize Clo. *St Alb* —3F **15**
Belvedere Gdns. *St Alb* —1C **22**
Ben Austins. *Redb* —3E **9**
Benbow Clo. *St Alb* —2B **20**
Bentsley Clo. *St Alb* —2C **16**
Beresford Rd. *St Alb* —1B **20**
Berger M. *Hpdn* —4D **4**
Berkeley Ct. *Hpdn* —3C **4**
Berkeley Sq. *Hem H* —6A **8**
Berkley Clo. *St Alb* —2C **16**
Bernard St. *St Alb* —5F **15**
Berners Dri. *St Alb* —3G **19**
Berries, The. *Sandr* —2A **16**
Bettespol Meadows. *Redb* —1E **9**
Betty Entwistle Ho. *St Alb*
—3G **19**
Beverley Gdns. *St Alb* —2D **16**
Bewdley Clo. *Hpdn* —1F **11**
Birch Copse. *Brick W* —4A **22**
Birchmead Clo. *St Alb* —3F **15**
Birch Way. *Hpdn* —5E **5**
Birch Way. *Lon C* —1D **24**
Birchwood Way. *Park* —2D **22**
Birklands La. *St Alb* —4B **20**
Bishop's Clo. *St Alb* —2A **16**
Bishop's Garth. *St Alb* —2A **16**
Black Boy Wood. *Brick W* —4C **22**
Black Cut. *St Alb* —1G **19**
Blackhorse La. *Redb* —1E **9**
Black Lion Hill. *Shenl* —6E **25**
Blacksmith La. *St Alb* —6D **14**
Blackthorn Clo. *St Alb* —3C **16**
Blake Clo. *St Alb* —3A **20**
Blandford Rd. *St Alb* —6A **16**
Blenheim Rd. *St Alb* —5H **15**
Blenkin Clo. *St Alb* —2E **15**
Bloomfield Rd. *Hpdn* —2B **4**
Blueberry Clo. *St Alb* —2F **15**
Blue Ho. Hill. *St Alb* —1C **18**
Bluett Rd. *Lon C* —1D **24**
Blundell Clo. *St Alb* —2F **15**
Blunts La. *St Alb* —5A **18**
Boissy Clo. *St Alb* —1E **21**
Boleyn Clo. *Hem H* —6A **8**
Boleyn Dri. *St Alb* —2F **19**
Bollingbrook. *St Alb* —2A **16**
Bond Ct. *Hpdn* —2B **4**
Borodale. *Hpdn* —4C **4**
Boswell Clo. *Shenl* —6E **25**
Boundary Rd. *St Alb* —4G **15**
Bower Heath La. *Hpdn* —1E **5**
Bowes Lyon M. *St Alb* —6F **15**
Bowgate. *St Alb* —5G **15**
Bowling Clo. *Hpdn* —6E **5**
Bowyer's Pde. *Hpdn* —4C **4**
Bowyers Way. *Hpdn* —3C **4**
Brache Clo. *Redb* —2E **9**
Brackendale Gro. *Hpdn* —2H **3**
Brackendene. *Brick W* —4B **22**

Bramble Clo. *Hpdn* —2B **4**
Brambles, The. *St Alb* —2F **19**
Brampton Clo. *Hpdn* —4F **5**
Brampton Rd. *St Alb* —5A **16**
Branch Rd. *Park* —1F **23**
Branch Rd. *St Alb* —5D **14**
Breadcroft. *Hpdn* —3D **4**
Breakspear Av. *St Alb* —1H **19**
Brecken Clo. *St Alb* —2A **16**
Brewhouse Hill. *Wheat* —5C **6**
Briar Rd. *St Alb* —3D **16**
Bricket Rd. *St Alb* —6F **15**
Brick Knoll Pk. *St Alb* —1C **20**
Bride Hall La. *Ay L* —2G **7**
Bridge Ct. *Hpdn* —2B **4**
Bridger Clo. *Wat* —6A **22**
Bridle Clo. *St Alb* —4G **15**
Brightview Clo. *Brick W* —3A **22**
Brinklow Ct. *St Alb* —3D **18**
Brinsmead. *Frog* —1F **23**
Britton Av. *St Alb* —6F **15**
Broad Acre. *Brick W* —4A **22**
Broadfields. *Hpdn* —3B **4**
Broadlake Clo. *Lon C* —1D **24**
Broadstone Rd. *Hpdn* —1E **11**
Brocket View. *Wheat* —4D **6**
Broomfield. *Park* —1E **23**
Broomleys. *St Alb* —3D **16**
Browning Rd. *Hpdn* —3E **5**
Bryant Ct. *Hpdn* —2C **4**
Bryn Av. *St Alb* —2C **20**
Bryn Way. *St Alb* —3C **20**
Bucknalls Clo. *Wat* —6A **22**
Bucknalls Dri. *Brick W* —5B **22**
Bucknalls La. *Wat* —6A **22**
Bull La. *Wheat* —1A **12**
Bull Rd. *Hpdn* —5D **5**
Bungalows, The. *Hpdn* —2E **5**
Burleigh Rd. *St Alb* —6B **16**
Burnham Rd. *St Alb* —6A **16**
Burnsall Pl. *Hpdn* —1E **11**
Burnside. *St Alb* —2B **20**
Burr Clo. *Lon C* —1E **25**
Burston Dri. *Park* —2E **23**
Burydell La. *St Alb* —3D **24**
Bury Grn. *Wheat* —5C **6**
Burywick. *Hpdn* —2D **10**
Butterfield La. *St Alb* —4G **19**
Butterfield Rd. *Wheat* —5C **6**
Buttermere Clo. *St Alb* —1B **20**
Butt Field View. *St Alb* —4E **19**
Buxton Clo. *St Alb* —3D **16**
Byron Pl. *Hem H* —6A **8**
Byron Rd. *Hpdn* —3C **4**

Caesars Rd. *Wheat* —5D **6**
Calbury Clo. *St Alb* —1B **20**
Caledon Rd. *Lon C* —6C **20**
Camberley Pl. *Hpdn* —1F **11**
Cambridge Rd. *St Alb* —1B **20**
Camlet Way. *St Alb* —5D **14**
Campfield Rd. *St Alb* —1A **20**
Camp Rd. *St Alb* —1A **20**
Camp View Rd. *St Alb* —1B **20**
Canberra Clo. *St Alb* —2H **15**
Cannon Fields. *Wheat* —4D **6**
Cannon St. *St Alb* —5F **15**
Canterbury Ct. *St Alb* —5H **15**
(off Battlefield Rd.)
Cape Rd. *St Alb* —6B **16**
Cardinal Gro. *St Alb* —2D **18**
Carisbroke Rd. *Hpdn* —3E **5**
Carisbrook Rd. *Park* —6D **18**
Carlisle Av. *St Alb* —4F **15**
Carlton Bank. *Hpdn* —4D **4**

Carlton Ct. *Hpdn* —4D **4**
Carlton Rd. *Hpdn* —3C **4**
Carnegie Dri. *St Alb* —2F **15**
Caroline Sharp Ho. *St Alb* —2C **16**
Carpenders Clo. *Hpdn* —1H **3**
Castle Rise. *Wheat* —3H **5**
Castle Rd. *St Alb* —6B **16**
Catham Clo. *St Alb* —2B **20**
Catherine Clo. *Hem H* —6A **8**
Catherine St. *St Alb* —5F **15**
Cavan Dri. *St Alb* —1F **15**
Cavan Rd. *Redb* —1E **9**
Cavendish Rd. *St Alb* —6H **15**
Cecil Rd. *St Alb* —6H **15**
Cedar Ct. *St Alb* —6D **16**
Cedars, The. *Hpdn* —4D **4**
Cedarwood Dri. *St Alb* —6D **16**
Cell Barnes Clo. *St Alb* —2B **20**
Cell Barnes La. *St Alb* —1A **20**
Central Dri. *St Alb* —5C **16**
Chad La. *Flam* —2A **2**
Chalfont Pl. *St Alb* —6G **15**
Chalkdell Fields. *St Alb* —3A **16**
Chamberlaines. *Hpdn* —1E **3**
Chancery Clo. *St Alb* —1D **16**
Chandlers Rd. *St Alb* —2C **16**
Chantry La. *Lon C* —6D **20**
Chapel Clo. *St Alb* —3F **19**
Chapel Rd. *Flam* —3A **2**
Charmouth Ct. *St Alb* —3A **16**
Charmouth Rd. *St Alb* —4A **16**
Chatsworth Ct. *St Alb* —6H **15**
(off Granville Rd.)
Chaucer Wlk. *Hem H* —6A **8**
Chenies, The. *Hpdn* —6E **5**
Chepstow. *Hpdn* —3B **4**
Chequer La. *Redb* —3E **9**
Chequers Hill. *Mark* —3A **2**
Chequer St. *St Alb* —6F **15**
Cheriton Clo. *St Alb* —2D **16**
Cherry Hill. *St Alb* —5C **18**
Cherry Tree Av. *Lon C* —6D **20**
Cherry Tree La. *Hem H* —6A **8**
Cherry Tree La. *Wheat* —4A **6**
Chesterton Av. *Hpdn* —4E **5**
Chestnut Dri. *St Alb* —4B **16**
Chichester Way. *Wat* —6A **22**
Chiltern Ct. *Hpdn* —4E **5**
Chiltern Ct. *St Alb* —2D **16**
(off Twyford Rd.)
Chiltern Rd. *St Alb* —1C **16**
Chiswellgreen La. *St Alb* —5A **18**
Chowns, The. *Hpdn* —2C **10**
Christchurch Clo. *St Alb* —5E **15**
Christopher Pl. *St Alb* —6F **15**
(off Verulam Rd.)
Church Cres. *St Alb* —5E **15**
Church End. *Flam* —4A **2**
Church End. *Redb* —3E **9**
Church End. *Sandr* —5C **12**
Churchfield. *Hpdn* —5E **5**
Church Grn. *Hpdn* —4C **4**
Church Grn. Row. *Hpdn* —4C **4**
Churchill Rd. *St Alb* —5A **16**
Church La. *Col H* —2H **21**
Church Rd. *Flam* —3A **2**
Church St. *St Alb* —5F **15**
Church Rd. *St Alb* —5F **15**
Church St. *Wheat* —5D **6**
Clare Ct. *St Alb* —1H **19**
Claremont. *Brick W* —5C **22**
Clarence Rd. *Hpdn* —2C **4**
Clarence Rd. *St Alb* —6H **15**
Clarendon Rd. *Hpdn* —2D **4**
Claudian Pl. *St Alb* —1C **18**
Claygate Av. *Hpdn* —3A **4**
Cleave, The. *Hpdn* —4F **5**

Clifton St. *St Alb* —5G **15**
Cloister Garth. *St Alb* —4G **19**
Close, The. *Hpdn* —1G **3**
Close, The. *Rad* —6H **23**
Close, The. *St Alb* —3E **19**
Coates Way. *Wat* —6A **22**
Cockle Way. *Shenl* —6E **25**
Codicote Rd. *Wheat & Ay P*
—4D **6**
Coldharbour La. *Hpdn* —1D **4**
Coleman Grn. La. *Wheat* —4C **12**
Coleridge Ct. *Hpdn* —4D **4**
Coleridge Cres. *Hem H* —6A **8**
Coleswood Rd. *Hpdn* —6E **5**
Colindale Av. *St Alb* —2H **19**
College Clo. *Flam* —4A **2**
College Pl. *St Alb* —6E **15**
College Rd. *St Alb* —1B **20**
College St. *St Alb* —6F **15**
Collens Rd. *Hpdn* —2D **10**
Collingwood Dri. *Lon C* —5D **20**
Collyer Rd. *Lon C* —1D **24**
Colnbrook Clo. *Lon C* —1E **25**
Colne Gdns. *Lon C* —1E **25**
Colney Heath La. *St Alb* —1E **21**
Common La. *Hpdn* —1F **5**
Common, The. *Hpdn* —1F **3**
Compton Gdns. *St Alb* —6D **18**
Coningsby Bank. *St Alb* —4F **19**
Connaught Rd. *Hpdn* —3D **4**
Connaught Rd. *St Alb* —3E **15**
Conquerors Hill. *Wheat* —5E **7**
Coombes Rd. *Lon C* —6C **20**
Coopers Grn. La. *St Alb* —3E **17**
Coopers Meadow. *Redb* —1E **9**
Cooters End La. *Hpdn & Lut*
—1A **4**
Copper Beeches. *Hpdn* —4D **4**
Copse, The. *Wat* —6A **22**
Corby Clo. *St Alb* —5C **18**
Corder Clo. *St Alb* —3C **18**
Corinium Ga. *St Alb* —2C **18**
Cornwall Rd. *Hpdn* —3D **4**
Cornwall Rd. *St Alb* —2G **19**
Corringham Ct. *St Alb* —5H **15**
Cory-Wright Way. *Wheat* —4E **7**
Cotlandswick. *Lon C* —5C **20**
Cotsmoor. *St Alb* —6H **15**
(off Granville Rd.)
Cotswold Clo. *St Alb* —1C **16**
Cottonmill Cres. *St Alb* —1F **19**
Cottonmill La. *St Alb* —2F **19**
Coursers Rd. *Lon C* —1G **25**
Courtfields. *Hpdn* —4F **5**
Court, The. *Wheat* —5D **6**
Courtyard, The. *St Alb* —6F **17**
Cowper Rd. *Hpdn* —4D **4**
Cox Clo. *Shenl* —6F **25**
Crabtree La. *Hpdn* —5D **4**
(in two parts)
Craiglands. *St Alb* —2D **16**
Cranbourne Dri. *Hpdn* —1E **11**
Cranbrook Dri. *St Alb* —6E **17**
Cranefield Dri. *Wat* —6A **22**
Cranford Ct. *Hpdn* —4E **5**
Cranmore Ct. *St Alb* —5H **15**
(off Avenue Rd.)
Cravells Rd. *Hpdn* —1D **10**
Crecy Gdns. *Redb* —1E **9**
Creighton Av. *St Alb* —4F **19**
Crescent, The. *Brick W* —4C **22**
Cricketers Clo. *St Alb* —5G **15**
Croft, The. *St Alb* —5C **18**
Croftwell. *Hpdn* —5H **5**
Cromwell Clo. *St Alb* —3D **18**
Crossfields. *St Alb* —3D **18**

Cross La. *Hpdn* —2D **10**
Crosspaths. *Hpdn* —1G **3**
Cross St. *St Alb* —6F **15**
Cross Way. *Hpdn* —2E **5**
Crosthwaite Ct. *Hpdn* —3D **4**
Crouch Hall Gdns. *Redb* —1E **9**
Crouch Hall La. *Redb* —1E **9**
Crown St. *Redb* —2F **9**
Cuckmans Dri. *St Alb* —5C **18**
Cuffley Ct. *Hem H* —6A **8**
Culver Rd. *St Alb* —5G **15**
Cumberland Ct. *St Alb* —5F **15**
Cumberland Dri. *Redb* —1F **9**
Cunningham Av. *St Alb* —2H **19**
Cunningham Hill Rd. *St Alb*
　　　　　　　　　　—2H **19**
Cutmore Dri. *Col H* —2H **21**
Cyrils Way. *St Alb* —3F **19**

Dalewood. *Hpdn* —4F **5**
Dalkeith Rd. *Hpdn* —3E **5**
Dalton St. *St Alb* —5F **15**
Dane Clo. *Hpdn* —1E **5**
Danes, The. *Park* —2E **23**
Dark La. *Hpdn* —6F **5**
Darley Croft. *Park* —2D **22**
Darwin Clo. *Hem H* —6A **8**
Darwin Clo. *St Alb* —2G **15**
Davis Ct. *St Alb* —6G **15**
Davys Clo. *Wheat* —6E **7**
Deacon Clo. *St Alb* —4F **19**
Dean Moore Clo. *St Alb* —1F **19**
Dean's Gdns. *St Alb* —2A **16**
Deerings, The. *Hpdn* —2C **10**
De Havilland Ct. *Shenl* —6E **25**
Dell Clo. *Hpdn* —2D **4**
Dellcroft Way. *Hpdn* —1C **10**
Dellfield. *St Alb* —1H **19**
Dell Rise. *Park* —6D **18**
Dell, The. *St Alb* —4A **16**
Delmerend La. *Flam* —3A **2**
Derwent Rd. *Hpdn* —1G **3**
De Tany Ct. *St Alb* —1F **19**
Deva Clo. *St Alb* —2C **18**
Devon Ct. *St Alb* —1G **19**
Devonshire Rd. *Hpdn* —3D **4**
Dickens Clo. *St Alb* —5F **15**
Doggetts Way. *St Alb* —2E **19**
Dolphin Yd. *St Alb* —1F **19**
　(off Holywell Hill)
Dorant Ho. *St Alb* —2F **15**
Dormie Clo. *St Alb* —4E **15**
Douglas Rd. *Hpdn* —3B **4**
Down Edge. *Redb* —2D **8**
Downedge. *St Alb* —5D **14**
Downes Rd. *St Alb* —2B **16**
Down Grn. La. *Wheat* —5B **6**
Drakes Dri. *St Alb* —3B **20**
Driftwood Av. *St Alb* —6C **18**
Drive, The. *Hpdn* —5C **4**
Drive, The. *Naps* —5A **20**
Drive, The. *St Alb* —2C **20**
Drop La. *Brick W* —4D **22**
Drovers Way. *St Alb* —6F **15**
Dubrae Clo. *St Alb* —2C **18**
Duncan Ct. *St Alb* —2H **19**
Dunstable Rd. *Flam* —4D **2**
Dunstable Rd. *Redb* —6E **3**
Dyke La. *Wheat* —1D **12**
Dymoke Grn. *St Alb* —2A **16**

Eastbury Ct. *St Alb* —5H **15**
East Clo. *St Alb* —5D **18**
East Comn. *Redb* —3E **9**

Eastcote Dri. *Hpdn* —1F **11**
East Dri. *Naps* —1A **24**
East Dri. *Oakl* —5E **17**
Eastfield Ct. *St Alb* —3D **16**
East La. *Wheat* —4D **6**
Eastmoor Ct. *Hpdn* —1E **11**
Eastmoor Pk. *Hpdn* —6E **5**
East Mt. *Wheat* —4D **6**
Eaton Rd. *St Alb* —6B **16**
Edgbaston Dri. *Shenl* —6E **25**
Edmund Beaufort Dri. *St Alb*
　　　　　　　　　　—4G **15**
Edward Clo. *St Alb* —1H **19**
Eleanor Av. *St Alb* —4F **15**
Elizabeth Ct. *St Alb* —3D **16**
　(in two parts)
Elliswick Rd. *Hpdn* —3D **4**
Elm Dri. *St Alb* —6C **16**
Ely Rd. *St Alb* —1B **20**
Englehurst. *Hpdn* —4F **5**
Enid Clo. *Brick W* —5B **22**
Ennerdale Clo. *St Alb* —2B **20**
Ennis Clo. *Hpdn* —1F **11**
Ermine Clo. *St Alb* —1C **18**
Eskdale. *Lon C* —1F **25**
Essex St. *St Alb* —5G **15**
Etna Rd. *St Alb* —5F **15**
Evans Gro. *St Alb* —2C **16**
Everard Clo. *St Alb* —2F **19**
Everlasting La. *St Alb* —5E **15**
Executive Pk. Ind. Est. *St Alb*
　　　　　　　　　　—6B **16**
Eywood Rd. *St Alb* —2E **19**

Faircross Way. *St Alb* —4A **16**
Fairfield Clo. *Hpdn* —4F **5**
Fairhaven. *Park* —1F **23**
Fairmead Av. *Hpdn* —5E **5**
Fairway Clo. *Hpdn* —2C **10**
Fairway Clo. *Park* —1E **23**
Falconers Field. *Hpdn* —2H **3**
Fallows Grn. *Hpdn* —2D **4**
Falstaff Gdns. *St Alb* —3D **18**
Farm Av. *Hpdn* —1H **3**
Farm Rd. *St Alb* —5B **16**
Farm, The. *Wheat* —5D **6**
Farriday Clo. *St Alb* —2G **15**
Farringford Clo. *St Alb* —6C **18**
Faulkner Ct. *St Alb* —4G **15**
　(off Boundary Rd.)
Ferndene. *Brick W* —5B **22**
Fernecroft. *St Alb* —3F **19**
Fernleys. *St Alb* —3C **16**
Ferrers La. *Hpdn* —2H **11**
Field Clo. *Hpdn* —6F **5**
Field Clo. *Sandr* —2A **16**
Field Ho. Ct. *Hpdn* —3C **4**
Field View Rise. *Brick W* —3A **22**
Finley Rd. *Hpdn* —2F **5**
Firbank Rd. *St Alb* —2H **15**
Firs, The. *Hpdn* —3F **5**
Firs, The. *St Alb* —4B **20**
Firwood Av. *St Alb* —6E **17**
Fish Farm St. *Redb* —2F **9**
Fishpool St. *St Alb* —6D **14**
Fish St. *Redb* —2F **9**
Five Acres. *Lon C* —5D **20**
Five Acres Av. *Brick W* —3B **22**
Flamsteadbury. *Redb* —2C **8**
Flamsteadbury La. *Redb* —3E **9**
Flavian Clo. *St Alb* —2B **18**
Flinders Clo. *St Alb* —2A **20**
Flint Copse. *Redb* —1G **9**
Flint Way. *St Alb* —2E **15**
Flora Gro. *St Alb* —1H **19**

Floral Dri. *Lon C* —6D **20**
Flowton Gro. *Hpdn* —6C **4**
Folly Av. *St Alb* —5E **15**
Folly Fields. *Wheat* —3B **6**
Folly La. *St Alb* —5E **15**
Fontmell Clo. *St Alb* —3G **15**
Forefield. *St Alb* —1C **22**
Forge End. *St Alb* —6C **18**
Four Elms. *Wheat* —5D **6**
Fovant Clo. *Hpdn* —1E **11**
Foxcroft. *St Alb* —2A **20**
Francis Av. *St Alb* —3E **15**
French Row. *St Alb* —6F **15**
Frobisher Rd. *St Alb* —2C **20**
Frogmore. *Park* —1F **23**
Frogmore. *St Alb* —2G **23**
Fryth Mead. *St Alb* —5D **14**
Fulmore Clo. *Hpdn* —1F **5**
Furse Av. *St Alb* —3A **16**
Furzebushes La. *St Alb* —5A **18**
Furzedown Ct. *Hpdn* —4D **4**

Gaddesden La. *Hem H* —3A **8**
Gainsborough Av. *St Alb* —5H **15**
Garden Clo. *Hpdn* —2C **10**
Garden Clo. *St Alb* —5B **16**
Garden Ct. *Wheat* —4D **6**
Garnett Dri. *Brick* —3B **22**
Garrard Way. *Wheat* —5D **6**
George St. *St Alb* —6F **15**
Gerard Ct. *Hpdn* —3C **4**
Gibbons Clo. *Sandr* —6C **12**
Gibraltar Lodge. *Hpdn* —2F **5**
Gidian Ct. *Park* —1F **23**
Giles Clo. *Sandr* —6C **12**
Gillian Av. *St Alb* —4E **19**
Gilpin Grn. *Hpdn* —4E **5**
Gladeside. *St Alb* —3D **16**
Gleave Clo. *St Alb* —5B **16**
Glemsford Dri. *Hpdn* —3F **5**
Glenbower Ct. *St Alb* —6D **16**
Glenferrie Rd. *St Alb* —6A **16**
Glengall Pl. *St Alb* —3G **19**
Glenlyn Av. *St Alb* —1B **20**
Glevum Clo. *St Alb* —2B **18**
Globe Clo. *Hpdn* —4D **4**
Gombards. *St Alb* —5F **15**
Gordon Clo. *St Alb* —1B **20**
Gordon Ho. *St Alb* —1B **20**
Gordons Wlk. *Hpdn* —6E **5**
Gorham Dri. *St Alb* —3G **19**
Gorse Corner. *St Alb* —4F **15**
Gorselands. *Hpdn* —6E **5**
Graham Clo. *St Alb* —2F **19**
Granary Clo. *Wheat* —5D **6**
Granary La. *Hpdn* —4D **4**
Granby Av. *Hpdn* —3E **5**
Grange Ct. Rd. *Hpdn* —1E **11**
Grange St. *St Alb* —5F **15**
Grant Gdns. *Hpdn* —3D **4**
Granville Ct. *St Alb* —6H **15**
　(off Granville Rd.)
Grasmere Av. *Hpdn* —3E **5**
Grasmere Rd. *St Alb* —2B **20**
Grassington Clo. *Brick W*
　　　　　　　　　　—4C **22**
Greatfield Clo. *Hpdn* —1G **3**
Green La. *Hpdn* —6F **5**
Green La. *Lon C* —4A **20**
Green La. *St Alb* —3E **15**
Green La. Clo. *Hpdn* —5G **5**
Greensleeves Clo. *St Alb* —1C **20**
Greenway. *Hpdn* —5F **5**
Greenwich Ct. *St Alb* —1A **20**
Grenadier Clo. *St Alb* —1C **20**

Gresford Clo. *St Alb* —6D **16**
Greyfriars La. *Hpdn* —6C **4**
Griffiths Way. *St Alb* —2E **19**
Grimsdyke Lodge. *St Alb* —6A **16**
Grimston Rd. *St Alb* —1H **19**
Grimthorpe Clo. *St Alb* —3F **15**
Grindcobbe Clo. *St Alb* —3F **19**
Groom Ct. *St Alb* —5A **16**
Grosvenor Rd. *St Alb* —1G **19**
Grove Av. *Hpdn* —6F **5**
Grovebury Gdns. *Park* —1E **23**
Grovelands. *Park* —1D **22**
Grove Rd. *Hpdn* —6E **5**
Grove Rd. *St Alb* —1F **19**
Guildford Rd. *St Alb* —1B **20**
Gurney Ct. Rd. *St Alb* —3H **15**

Haddon Ct. *Hpdn* —4D **4**
Hadleigh Ct. *Hpdn* —1G **11**
Hadrian Clo. *St Alb* —2B **18**
Haig Clo. *St Alb* —1B **20**
Haig Ho. *St Alb* —1B **20**
Hales Meadow. *Hpdn* —3C **4**
Half Moon M. *St Alb* —6F **15**
Hall Heath Clo. *St Alb* —4B **16**
Hall Pl. Clo. *St Alb* —5G **15**
Hall Pl. Gdns. *St Alb* —5G **15**
Halsey Pk. *Lon C* —1F **25**
Hamilton Clo. *Brick W* —5C **22**
Hamilton Rd. *St Alb* —5A **16**
Hammers Ga. *St Alb* —6C **18**
Hammond's La. *Sandr* —4D **12**
Hammondswick. *Hpdn* —3B **10**
Hampden Pl. *Frog* —3G **23**
Harbert Gdns. *Park* —3D **22**
Harding Clo. *Redb* —2F **9**
Harding Pde. *Hpdn* —4D **4**
　(off Station Rd.)
Hardwick Pl. *Lon C* —1D **24**
Harefield Pl. *St Alb* —3D **16**
Harkness Way. *St Alb* —3D **16**
Harlesden Rd. *St Alb* —6A **16**
Harley Ct. *St Alb* —2D **16**
Harpenden La. *Redb* —1F **9**
Harpenden Rise. *Hpdn* —2A **4**
Harpenden Rd. *C'bry* —3D **10**
Harpenden Rd. *Wheat* —5A **6**
Harper La. *Rad* —6H **23**
Harptree Way. *St Alb* —4A **16**
Hart Rd. *St Alb* —1F **19**
Hartwell Gdns. *Hpdn* —4A **4**
Harvest Ct. *St Alb* —2D **16**
Harvesters. *St Alb* —2C **16**
　(off Harvest Ct.)
Harvey Rd. *Lon C* —6C **20**
Haseldine Rd. *Lon C* —6D **20**
Haslingden Clo. *Hpdn* —2H **3**
Hatching Grn. Clo. *Hpdn* —1C **10**
Hatfield Rd. *St Alb & Smal*
　　　　　　　　　　—6G **15**
Hathaway Ct. *St Alb* —6E **17**
Havercroft Clo. *St Alb* —2E **19**
Hawfield Gdns. *Park* —6F **19**
Hawkshill. *St Alb* —1A **20**
Hawsley Rd. *Hpdn* —3C **10**
Hawthorn Clo. *Hpdn* —6F **5**
Hawthorn Way. *St Alb* —4C **18**
Hay La. *Hpdn* —4C **4**
Hazelmere Rd. *St Alb* —3C **16**
Hazel Rd. *Park* —2D **22**
Hazelwood Dri. *St Alb* —4C **16**
Headingley Clo. *Shenl* —6E **25**
Hearn Pl. *St Alb* —6F **15**
Heath Av. *St Alb* —4F **15**
Heath Clo. *Hpdn* —6E **5**

Heath Farm La. *St Alb* —4G **15**
Heathfield Ct. *St Alb* —5G **15**
(off Avenue Rd.)
Heathlands Dri. *St Alb* —4G **15**
Heath Rd. *St Alb* —5G **15**
Heathside. *Col H* —3H **21**
Heathside. *St Alb* —4G **15**
Heathview. *Hpdn* —4D **4**
(off Milton Rd.)
Hedley Rd. *St Alb* —6B **16**
Hemel Hempstead Rd. *Hem H*
—6A **8**
Hemel Hempstead Rd. *Redb*
—4D **8**
Henderson Clo. *St Alb* —1E **15**
Henrys Grant. *St Alb* —1G **19**
Heritage Clo. *St Alb* —6F **15**
Herons Way. *St Alb* —4A **20**
(in two parts)
Hertfordshire Bus. Cen. *Lon C*
—6D **20**
Hewitt Clo. *Wheat* —6D **6**
Heydons Clo. *St Alb* —4F **15**
Hickling Way. *Hpdn* —2E **5**
High Ash Rd. *Wheat* —6C **6**
Highclere Ct. *St Alb* —5G **15**
(off Avenue Rd.)
High Elms. *Hpdn* —1C **10**
Highfield Av. *Hpdn* —5E **5**
Highfield Hall. *St Alb* —4E **21**
Highfield La. *Tyngr* —2C **20**
Highfield Oval. *Hpdn* —2C **4**
Highfield Rd. *Sandr* —6B **12**
High Firs Cres. *Hpdn* —5F **5**
High Meads. *Wheat* —5C **6**
Highmoor. *Hpdn* —1C **4**
High Oaks. *St Alb* —1E **15**
High Ridge. *Hpdn* —2A **4**
High St. Colney Heath, *Col H*
—2H **21**
High St. Flamstead, *Flam* —3A **2**
High St. Harpenden, *Hpdn*
—3C **4**
High St. London Colney, *Lon C*
—5C **20**
High St. Redbourn, *Redb* —2F **9**
High St. Sandridge, *Sandr*
—6B **12**
High St. St Albans, *St Alb*
—6F **15**
High St. Wheathampstead, *Wheat*
—5D **6**
Highview Gdns. *St Alb* —1C **16**
Hill Clo. *Hpdn* —1E **5**
Hillcrest. *St Alb* —2D **18**
Hill Dyke Rd. *Wheat* —6B **6**
Hill End La. *St Alb* —3B **20**
Hill Farm La. *Welw* —1H **7**
Hillside Rd. *Hpdn* —2B **4**
Hillside Rd. *St Alb* —5G **15**
Hill St. *St Alb* —6E **15**
Hill, The. *Wheat* —5D **6**
Hilltop. *Redb* —1D **8**
Hitherfield La. *Hpdn* —3C **4**
Hobart Wlk. *St Alb* —2H **15**
Hobbs Clo. *St Alb* —1E **21**
Hogg End La. *Hem H* —2A **14**
Holborn Clo. *St Alb* —1D **16**
Holcroft Rd. *Hpdn* —2F **5**
Hollybush Av. *St Alb* —4C **18**
Holly Bush La. *Hpdn* —2B **4**
Holly Wlk. *Hpdn* —2B **4**
Holmes Ct. *St Alb* —5G **15**
(off Carlisle Av.)
Holts Meadow. *Redb* —1F **9**

Holyrood Cres. *St Alb* —3G **19**
Holywell Hill. *St Alb* —1F **19**
Homedell Ho. *Hpdn* —2A **4**
Homestead Clo. *Park* —1E **23**
Homewood Rd. *St Alb* —4B **16**
Hopground Clo. *St Alb* —2A **20**
Hopkins Cres. *Sandr* —6B **12**
Hordle Gdns. *St Alb* —2H **19**
Hornbeams. *Brick W* —4B **22**
Horsemans Dri. *Park* —6D **18**
Housden Clo. *Wheat* —6E **7**
House La. *Sandr* —6C **12**
Howard Clo. *St Alb* —2C **20**
Howe Clo. *Shenl* —6E **25**
How Field. *Hpdn* —2A **4**
Howland Garth. *St Alb* —4E **19**
How Wood. *Park* —2D **22**
Hudson Clo. *St Alb* —3F **19**
Hughenden Rd. *St Alb* —3B **16**
Hunt Clo. *St Alb* —3D **16**
Hunters Ride. *Brick W* —5C **22**
Hyburn Clo. *Brick W* —4B **22**
Hyde Clo. *Hpdn* —1D **4**
Hyde La. *Frog* —2F **23**
Hyde View Rd. *Hpdn* —1D **4**

Icknield Clo. *St Alb* —2B **18**
Inkerman Rd. *St Alb* —1G **19**
Irene Stebbings Ho. *St Alb*
—5C **16**
Ivinghoe Clo. *St Alb* —1C **16**

Jameson Ct. *St Alb* —5H **15**
(off Avenue Rd.)
Jameson Rd. *Hpdn* —2D **4**
Jane Clo. *Hem H* —6A **8**
Jenkins Av. *Brick W* —4A **22**
Jennings Rd. *St Alb* —5H **15**
Jerome Dri. *St Alb* —2C **18**
Jersey La. *St Alb* —1C **16**
John's Ct. *St Alb* —5B **16**
Jordan's Way. *Brick W* —4B **22**
Jubilee Av. *Lon C* —6D **20**
Jubilee Ct. *Hpdn* —2E **5**
Juniper Av. *Brick W* —5C **22**

Kempe Clo. *St Alb* —4E **19**
Ken Davis Ct. *St Alb* —2H **15**
Kenton Gdns. *St Alb* —1H **19**
Kestrels, The. *Brick W* —5B **22**
Keswick Clo. *St Alb* —1B **20**
Keyfield Ter. *St Alb* —1F **19**
Kimberley Rd. *St Alb* —5E **15**
King Charles Rd. *Shenl* —6E **25**
King Croft Rd. *Hpdn* —6F **5**
Kingfisher Clo. *Wheat* —4D **6**
King Harry La. *St Alb* —1C **18**
Kingsbury Av. *St Alb* —5E **15**
Kingsgate. *St Alb* —2D **18**
Kingshill Av. *St Alb* —3B **16**
Kingsmead. *St Alb* —3D **16**
King's Rd. *Lon C* —6C **20**
King's Rd. *St Alb* —6E **15**
Kinsbourne Clo. *Hpdn* —1G **3**
Kinsbourne Cres. *Hpdn* —1H **3**
Kinsbourne Grn. La. *Hpdn* —1F **3**
Kipling Way. *Hpdn* —4D **4**
Kirkdale Rd. *Hpdn* —3C **4**
Kirkwick Av. *Hpdn* —4B **4**
Kitchener Clo. *St Alb* —1B **20**
Knights Orchard. *St Alb* —6E **15**
Knowle Dri. *Hpdn* —6F **5**
Kytes Dri. *Wat* —6A **22**

Laburnum Gro. *St Alb* —5D **18**
Ladies Gro. *St Alb* —5D **14**
(in two parts)
Ladysmith Rd. *St Alb* —5F **15**
Laelia Houses. *St Alb* —1A **20**
Lakeside Pl. *Lon C* —1D **24**
Lamb C. *Redb* —6E **7**
Lamb La. *Redb* —2F **9**
Lambourn Gdns. *Hpdn* —2B **4**
Lamer La. *Wheat* —1D **6**
Lancaster Rd. *St Alb* —3H **15**
Langdale Av. *Hpdn* —3F **5**
Langham Clo. *St Alb* —1D **16**
Langley Cres. *St Alb* —4E **15**
Langley Gro. *Sandr* —5C **12**
Lansdowne Pl. *St Alb* —6F **15**
Larch Av. *Brick W* —4A **22**
Larches, The. *St Alb* —2D **16**
Larks Ridge. *St Alb* —1C **22**
Larkswood Rise. *St Alb* —1C **16**
Latium St. *St Alb* —1F **19**
Lattimore Rd. *St Alb* —1G **19**
Lattimore Rd. *Wheat* —5C **6**
Laurel Rd. *St Alb* —6H **15**
Laurels Clo. *St Alb* —3D **18**
Lawns, The. *St Alb* —5E **15**
Lawrance Rd. *St Alb* —2E **15**
Lay Brook. *St Alb* —2A **16**
Leacroft. *Hpdn* —2F **5**
Lea Rd. *Hpdn* —2D **4**
Leasey Bri. La. *Wheat* —5H **5**
Leaside Ct. *Hpdn* —2E **5**
Lea Wlk. *Hpdn* —1E **5**
Lectern La. *St Alb* —4G **19**
Lemon Field Dri. *Wat* —6A **22**
Lemsford Rd. *St Alb* —6H **15**
Leycroft Way. *Hpdn* —6G **5**
Leyland Av. *St Alb* —2F **19**
Leys, The. *St Alb* —3D **16**
Leyton Grn. *Hpdn* —4C **4**
Leyton Rd. *Hpdn* —4C **4**
Lilac Way. *Hpdn* —1F **11**
Limbrick Rd. *Hpdn* —1E **11**
Limes, The. *St Alb* —4G **15**
Lime Tree Pl. *St Alb* —1F **19**
Lincoln M. *St Alb* —1E **19**
Lincoln's Clo. *St Alb* —1C **16**
Linden Ct. *Hpdn* —5D **4**
Linden Cres. *St Alb* —6C **16**
Linden Rd. *Redb* —1E **9**
Lindley Clo. *Hpdn* —1C **4**
Lindley Ct. *Hpdn* —1C **4**
Lindum Pl. *St Alb* —2B **18**
Links View. *St Alb* —4D **14**
Linley Ct. *St Alb* —3H **15**
Linwood Rd. *Hpdn* —6E **5**
Lit. Acre. *St Alb* —4F **15**
Lit. Heath Spinney. *St Alb*
—4G **15**
Little La. *Hpdn* —1E **11**
Liverpool Rd. *St Alb* —6G **15**
Lodge Gdns. *Hpdn* —3C **4**
London Rd. *St Alb* —1G **19**
Longacres. *St Alb* —6D **16**
Long Buftlers. *Hpdn* —5H **5**
Longcroft Av. *Hpdn* —4B **4**
Long Cutt. *Redb* —1E **9**
Long Fallow. *St Alb* —1C **22**
Longfield Rd. *Hpdn* —6E **5**
Long Spring. *St Alb* —2H **15**
Lords Clo. *Shenl* —6E **25**
Lords Meadow. *Redb* —2E **9**
Lowbell La. *Lon C* —1E **25**
Lwr. Dagnell St. *St Alb* —6E **15**
Lwr. Luton Rd. *E Hyde* —4D **4**
Lwr. Paxton Rd. *St Alb* —1G **19**

Luton La. *Redb* —6E **3**
Luton Rd. *Hpdn* —1G **3**
Lybury La. *Redb* —5B **2**
Lycastle Clo. *St Alb* —1H **19**
Lye La. *Brick W* —4C **22**
Lyndhurst Clo. *Hpdn* —3E **5**
Lyndhurst Dri. *Hpdn* —3E **5**
Lyndon Mead. *Sandr* —5C **12**
Lynsey Clo. *Redb* —1E **9**
Lynton Av. *St Alb* —1C **20**
Lyon Way. *St Alb* —6G **17**

Mabbutt Clo. *Brick W* —4A **22**
Madresfield Ct. *Shenl* —6D **24**
Magna Clo. *Hpdn* —1F **11**
Magnolia Clo. *Park* —6F **19**
Maldon Ct. *Hpdn* —3D **4**
Mall, The. *Park* —1E **23**
Malthouse Ct. *St Alb* —1F **19**
(off Sopwell La.)
Maltings Dri. *Wheat* —5C **6**
Maltings, The. *St Alb* —1F **19**
Malvern Clo. *St Alb* —2B **16**
Mandeville Dri. *St Alb* —3F **19**
Manland Av. *Hpdn* —3E **5**
Manland Way. *Hpdn* —3E **5**
Manor Dri. *St Alb* —1C **22**
Manor Rd. *Lon C* —6C **20**
Manor Rd. *St Alb* —5G **15**
Manor Rd. *Wheat* —3H **5**
Mansdale Rd. *Redb* —3D **8**
Maple Av. *St Alb* —2E **15**
Maple Cotts. *Hpdn* —2D **10**
Maplefield. *Park* —3D **22**
Maple Rd. *Hpdn* —4B **4**
Maples. *Hpdn* —2C **4**
Marford Rd. *Wheat & Welw*
—5D **6**
Margaret Av. *St Alb* —4F **15**
Market Pl. *St Alb* —6F **15**
Marlborough Bldgs. *St Alb*
—6F **15**
Marlborough Ga. *St Alb* —6G **15**
Marlborough Rd. *St Alb* —6G **15**
Marquis Clo. *Hpdn* —3F **5**
Marquis La. *Hpdn* —3F **5**
Marshall Av. *St Alb* —3G **15**
Marshalls Heath La. *Wheat*
—3A **6**
Marshalls Way. *Wheat* —3H **5**
Marshal's Dri. *St Alb* —3A **16**
Marshalswick La. *St Alb* —3A **16**
Marten Ga. *St Alb* —2A **16**
Martham Ct. *Hpdn* —2E **5**
Martins Ct. *St Alb* —3C **20**
Martyr Clo. *St Alb* —4F **19**
Masefield Clo. *Hpdn* —1D **4**
Masefield Rd. *Hpdn* —2D **4**
Maxwell Rd. *St Alb* —1B **20**
May Clo. *St Alb* —4F **15**
Mayfair Clo. *St Alb* —1C **16**
Mayfield Clo. *Hpdn* —2A **4**
Mayflower Rd. *Park* —1D **22**
Maynard Dri. *St Alb* —3F **19**
Mayne Av. *St Alb* —2B **18**
Meadow Clo. *Brick* —3C **22**
Meadow Clo. *Lon C* —1D **24**
Meadow Clo. *St Alb* —3D **18**
Meadowcroft. *St Alb* —3A **20**
Meadow Wlk. *Hpdn* —5E **5**
Meads La. *Wheat* —4D **6**
Meads, The. *Brick W* —4C **22**
Meadway. *Hpdn* —6G **5**
Meautys. *St Alb* —2C **18**
Medlows. *Hpdn* —3A **4**

Melbourne Clo. *St Alb* —2H **15**
Mendip Clo. *St Alb* —2C **16**
Mentmore Rd. *St Alb* —2F **19**
Mercers Row. *St Alb* —2E **19**
Mereden Ct. *St Alb* —3E **19**
  (off Tavistock Av.)
Merlin Cen., The. *St Alb* —6F **17**
Merryfields. *St Alb* —6E **17**
Metro Cen. *St Alb* —2H **15**
Mews, The. *Hpdn* —4D **4**
Middlefield Clo. *St Alb* —3C **16**
Midway. *St Alb* —3D **18**
Mile Ho. Clo. *St Alb* —3A **20**
Mile Ho. La. *St Alb* —4H **19**
Milford Clo. *Marsh* —2D **16**
Milford Hill. *Hpdn* —1F **5**
Millers Rise. *St Alb* —1G **19**
Milton Ct. *Hpdn* —4D **4**
Milton Ct. *Hem H* —6A **8**
Milton Dene. *Hem H* —6A **8**
Milton Rd. *Hpdn* —4D **4**
Mitchell Clo. *St Alb* —4F **19**
Molescroft Ridge Av. *Hpdn*
  —1H **3**
Monastery Clo. *St Alb* —6E **15**
Monks Clo. *Redb* —2F **9**
Monks Clo. *St Alb* —2G **19**
Monks Horton Way. *St Alb*
  —4A **16**
Mons Clo. *Hpdn* —1F **11**
Moorland Rd. *Hpdn* —1D **4**
Moorlands. *Frog* —2G **23**
Moor Mill La. *Col S* —3G **23**
  (in two parts)
Moreton Av. *Hpdn* —3B **4**
Moreton End Clo. *Hpdn* —3B **4**
Moreton End La. *Hpdn* —3B **4**
Moreton Pl. *Hpdn* —2B **4**
Morris Way. *Lon C* —6D **20**
Moss Side. *Brick W* —4B **22**
Mountbatten Clo. *St Alb* —3B **20**
Mount Dri. *Park* —5F **19**
Mt. Pleasant. *St Alb* —5D **14**
Mt. Pleasant La. *Brick W* —4A **22**
Mount Rd. *Wheat* —4D **6**
Mountview. *Lon C* —1E **25**
Mud La. *Hpdn* —2F **11**
Mulberry Clo. *Park* —2D **22**
Murton Ct. *St Alb* —5G **15**
Myers Clo. *Shenl* —6E **25**

Nairn Clo. *Hpdn* —1F **11**
Napier Clo. *Lon C* —5D **20**
Napsbury Av. *Lon C* —6C **20**
Napsbury La. *St Alb* —3A **20**
Necton Rd. *Wheat* —5E **7**
Nell Gwynn Clo. *Shenl* —6E **25**
Nelson Av. *St Alb* —3B **20**
Netherway. *St Alb* —3C **18**
New England St. *St Alb* —6E **15**
Newgate Clo. *St Alb* —3D **16**
New Greens Av. *St Alb* —1F **15**
New Ho. Pk. *St Alb* —3A **20**
New Kent Rd. *St Alb* —6F **15**
Newland Clo. *St Alb* —3A **20**
Newlyn Clo. *Brick W* —4A **22**
Newmans Dri. *Hpdn* —3B **4**
Newton Clo. *Hpdn* —1F **11**
Nicholas Clo. *St Alb* —3F **15**
Nicholls Clo. *Redb* —2D **8**
Nightingale La. *St Alb* —3C **20**
Nightingale Wlk. *Hem H* —6A **8**
Noke La. *St Alb* —6A **18**
Noke Shot. *Hpdn* —1E **5**
Noke Side. *St Alb* —1C **22**

Normandy Rd. *St Alb* —4F **15**
North Av. *Shenl* —6E **25**
Northaw Clo. *Hem H* —6A **8**
N. Barnes Av. *St Alb* —3A **20**
North Clo. *St Alb* —5D **18**
North Common. *Redb* —2E **9**
North Comn. Rd. *Redb* —3E **9**
North Cotts. *Naps* —5A **20**
North Dri. *Oakl* —4E **17**
Northfield Rd. *Hpdn* —1E **5**
N. Forge Pl. *Redb* —2F **9**
N. Orbital Rd. *St Alb & Lon C*
  —6A **22**
North Orbital Trad. Est. *St Alb*
  —4A **20**
N. Riding. *Brick W* —4C **22**
Northside. *Sandr* —6B **12**
Nunnery Clo. *St Alb* —2G **19**
Nunnery Stables. *St Alb* —2F **19**
Nuns La. *St Alb* —4G **19**
Nurseries Rd. *Wheat* —6E **7**

Oak Av. *Brick W* —4C **22**
Oakdene Way. *St Alb* —6C **16**
Oakfield Rd. *Hpdn* —2B **10**
Oakhurst Av. *Hpdn* —1B **10**
Oaklands La. *Smal* —4F **17**
Oakley Rd. *Hpdn* —6F **5**
Oakridge. *Brick W* —3B **22**
Oak Way. *Hpdn* —2C **10**
Oakwood Dri. *St Alb* —5C **16**
Oakwood Rd. *Brick W* —3B **22**
Offa Rd. *St Alb* —6E **15**
Offas Way. *Wheat* —5D **6**
Old Brew Ho., The. *Wheat* —5C **6**
Old Cotts. *St Alb* —3E **25**
Oldfield Ct. *St Alb* —1G **19**
Oldfield Rd. *Lon C* —5D **20**
Old Garden Ct. *St Alb* —6E **15**
Old Harpenden Rd. *St Alb*
  —2G **15**
Old London Rd. *St Alb* —1G **19**
Old Oak. *St Alb* —3G **19**
Old Orchard. *Park* —6E **19**
Old Parkbury La. *Col S* —4H **23**
Old Rectory Clo. *Hpdn* —3C **4**
Old Rectory Gdns. *Wheat* —4D **6**
Old Sopwell Gdns. *St Alb*
  —2G **19**
Old Watford Rd. *Brick W*
  —4A **22**
Oliver Clo. *Park* —1F **23**
Orchard Av. *Hpdn* —4B **4**
Orchard Clo. *St Alb* —1H **19**
Orchard Dri. *Park* —1D **22**
Orchard Ho. La. *St Alb* —1F **19**
Orchard St. *St Alb* —1E **19**
Orton Clo. *St Alb* —2B **16**
Oster St. *St Alb* —5E **15**
Oswald Rd. *St Alb* —1G **19**
Oulton Rise. *Hpdn* —2E **5**
Overstone Rd. *Hpdn* —4E **5**
Overtrees. *Hpdn* —2B **4**
Oxford Av. *St Alb* —1C **20**
Ox La. *Hpdn* —2D **4**
Oysterfields. *St Alb* —5D **14**

Packhorse Clo. *St Alb* —3C **14**
Paddock Wood. *Hpdn* —6G **5**
Pageant Rd. *St Alb* —1F **19**
Palfrey Clo. *St Alb* —4F **15**
Park Av. *St Alb* —5A **16**
Park Av. N. *Hpdn* —4A **4**
Park Av. S. *Hpdn* —4A **4**

Park Hill. *Hpdn* —3B **4**
Parkinson Clo. *Wheat* —5D **6**
Parklands Dri. *St Alb* —1C **18**
Park La. *Col H* —3H **21**
Park Mt. *Hpdn* —2B **4**
Park Pl. *Park* —1F **23**
Park Rise. *Hpdn* —2A **4**
Park Rise Clo. *Hpdn* —2A **4**
Park St. *St Alb* —6F **19**
Park St. La. *Park* —4D **22**
Park, The. *Redb* —3F **9**
Park, The. *St Alb* —4A **16**
Park View Clo. *St Alb* —1A **20**
Parkway Ct. *St Alb* —3B **20**
Parr Cres. *Hem H* —6A **8**
Parson's Clo. *Flam* —4A **2**
Partridge Rd. *St Alb* —2F **15**
Parva Clo. *Hpdn* —1F **11**
Pastures, The. *St Alb* —4C **18**
Pat Larner Ho. *St Alb* —1F **19**
  (off Belmont Hill)
Paxton Rd. *St Alb* —1G **19**
Peakes Pl. *St Alb* —6H **15**
  (off Granville Rd.)
Pearces Wlk. *St Alb* —1F **19**
  (off Albert St.)
Pemberton Clo. *St Alb* —3F **19**
Pendennis Ct. *Hpdn* —6F **5**
Penham Clo. *Park* —1C **22**
Penn Rd. *Park* —1E **23**
Penny Croft. *Hpdn* —3C **10**
Penshurst Clo. *Hpdn* —1H **3**
Perham Way. *Lon C* —6D **20**
Permain Clo. *Shenl* —6E **25**
Peters Av. *Lon C* —6C **20**
Petersfield. *St Alb* —2G **15**
Pickford Hill. *Hpdn* —2E **5**
Pie Corner. *Flam* —4A **2**
Pie Garden. *Flam* —4A **2**
Pigeonwick. *Hpdn* —2C **4**
Piggottshill La. *Hpdn* —6E **5**
Pilgrim Clo. *Park* —1E **23**
Pilgrims Clo. *Wat* —6A **22**
Pine Gro. *Brick W* —4B **22**
Pine Ridge. *St Alb* —3A **20**
Pinewood Clo. *St Alb* —6C **16**
Pipers Av. *Hpdn* —6F **5**
Pipers Clo. *Redb* —1E **9**
Pipers La. *Hpdn* —6G **5**
Pirton Clo. *St Alb* —1C **16**
Pitstone Clo. *St Alb* —1C **16**
Pleasance, The. *Hpdn* —1H **3**
Pollicott Clo. *St Alb* —1C **16**
Pondfield Cres. *St Alb* —3B **16**
Pondsmeade. *Redb* —2F **9**
Pondwick Rd. *Hpdn* —3A **4**
Pondwicks Clo. *St Alb* —1E **19**
Poplars, The. *St Alb* —4B **20**
Porters Hill. *Hpdn* —1E **5**
Porters Pk. Dri. *Shenl* —6D **24**
Porters Wood. *St Alb* —2H **15**
Portland St. *St Alb* —6E **15**
Portman Clo. *St Alb* —1C **16**
Portman Ho. *St Alb* —3F **15**
Potterscrouch La. *St Alb* —4A **18**
Potters Field. *St Alb* —2G **15**
Poultney Clo. *Shenl* —6F **25**
Pound Clo. *Sandr* —5C **12**
Poynings Clo. *Hpdn* —5H **5**
Prae Clo. *St Alb* —5D **14**
Praetorian Ct. *St Alb* —3E **19**
Priory Ct. *St Alb* —1G **19**
Priory Orchard. *Flam* —3A **2**
Priory Wlk. *St Alb* —3G **19**
Prospect La. *Hpdn* —3B **10**
Prospect Rd. *St Alb* —2F **19**

Punch Bowl La. *Hem H* —6G **9**
Putterills, The. *Hpdn* —4C **4**

Quadrant, The. *St Alb* —3B **16**
Quantock Clo. *St Alb* —2C **16**
Queens Ct. *St Alb* —6B **16**
Queens Cres. *St Alb* —3B **16**
Queen's Rd. *Hpdn* —6D **4**
Queen St. *St Alb* —6E **15**
Queens Way. *Shenl* —6E **25**

Radlett Rd. *Col S* —3G **23**
Ragged Hall La. *St Alb* —4A **18**
Rainbow Clo. *Redb* —1D **8**
Ramparts, The. *St Alb* —2D **18**
Ramsbury Rd. *St Alb* —1G **19**
Ramsey Clo. *St Alb* —2A **20**
Ramsey Lodge Ct. *St Alb*
  —5G **15**
Ranleigh Wlk. *Hpdn* —1F **11**
Raphael Clo. *Shenl* —6E **25**
Ravenscroft. *Hpdn* —1F **11**
Raymer Clo. *St Alb* —5G **15**
Rectory La. *Shenl* —6G **25**
Redbournbury La. *St Alb* —5H **9**
Redbourn Ind. Pk. *Redb* —2F **9**
Redbourn La. *Redb* —1G **9**
Redbourn Rd. *St Alb* —5H **9**
Redding La. *Redb* —4C **2**
Reed Clo. *Lon C* —1D **24**
Reedham Clo. *Brick W* —3C **22**
Regent Clo. *St Alb* —2C **16**
Repton Grn. *St Alb* —3F **15**
Reynards Way. *Brick W* —3B **22**
Reynolds Cres. *Sandr* —1B **16**
Ribbledale. *Lon C* —1F **25**
Ribston Clo. *Shenl* —6D **24**
Richardson Clo. *Lon C* —1E **25**
  (in two parts)
Richardson Pl. *Col H* —2H **21**
Richard Stagg Clo. *St Alb*
  —2C **20**
Richmond Wlk. *St Alb* —2D **16**
Rickyard Meadow. *Redb* —2E **9**
Ridgedown. *Redb* —2D **8**
Ridge Hill. *Lon C & Shenl*
  —2G **25**
Ridgeview. *Lon C* —2F **25**
Ridgeway. *Hpdn* —1A **4**
Ridgeway, The. *St Alb* —3A **16**
Ridgewood Dri. *Hpdn* —2A **4**
Ridgewood Gdns. *Hpdn* —1A **4**
Ridgmont Rd. *St Alb* —6G **15**
Ringway Rd. *Park* —1D **22**
Ripon Way. *St Alb* —2D **16**
Rise, The. *Park* —5F **19**
Riverford Clo. *Hpdn* —1D **4**
River Hill. *Flam* —3A **2**
Riverside. *Lon C* —1E **25**
Riverside Clo. *St Alb* —2G **19**
Riverside Ct. *St Alb* —2G **19**
Riverside Rd. *St Alb* —1G **19**
Robert Av. *St Alb* —4D **18**
Rodney Av. *St Alb* —2A **20**
Roland St. *St Alb* —6B **16**
Romeland. *St Alb* —6E **15**
Romeland Hill. *St Alb* —6E **15**
Ronsons Way. *Sandr* —2H **15**
Rose Acre. *Redb* —1D **8**
Roseberry Av. *Hpdn* —3B **4**
Rose Cotts. *Brick* —4D **22**
Rose Ct. *St Alb* —4B **16**
Rosecroft Av. *St Alb* —3C **20**
Rosedale Clo. *Brick W* —4A **22**

Rose La. *Wheat* —3C **6**
Rose Wlk. *St Alb* —4C **16**
Rothamsted Av. *Hpdn* —4B **4**
Rothamsted Ct. *Hpdn* —4C **4**
Roundfield Av. *Hpdn* —1F **5**
Roundwood. *Hpdn* —2A **4**
Roundwood Gdns. *Hpdn* —3A **4**
Roundwood La. *Hpdn* —2F **3**
Roundwood Pk. *Hpdn* —2A **4**
Rowan Clo. *Brick W* —5C **22**
Rowan Clo. *St Alb* —6E **17**
Rowan Way. *Hpdn* —5E **5**
Rowlatt Dri. *St Alb* —2C **18**
Rowley Wlk. *Hem H* —6A **8**
Royal Rd. *St Alb* —6B **16**
Royston Rd. *St Alb* —1B **20**
Ruins, The. *Redb* —2F **9**
Runcie Clo. *St Alb* —2A **16**
Ruscombe Dri. *Park* —6E **19**
Russell Av. *St Alb* —6F **15**
Russell Ct. *Brick W* —4C **22**
Russet Dri. *Shenl* —6E **25**
Russet Dri. *St Alb* —1C **20**
Ryall Clo. *Brick W* —3A **22**
Rye Clo. *Hpdn* —1D **4**
Ryecroft Ct. *St Alb* —6F **17**
Rye Hill. *Hpdn* —1D **4**

Saberton Clo. *Redb* —3D **8**
Sadleir Rd. *St Alb* —2G **19**
St Albans Rd. *Hpdn* —5D **4**
St Albans Rd. *Redb* —3G **9**
St Albans Rd. *St Alb* —3H **15**
St Albans Rd. *Wat* —6A **22**
St Andrew's Av. *Hpdn* —4F **5**
St Anne's Rd. *Lon C* —1D **24**
St Augusta Ct. *St Alb* —4F **15**
St Bernard's Rd. *St Alb* —2D **16**
St Brelades Pl. *St Alb* —2D **16**
 (off Harvest Ct.)
St Clarendon Ct. *Hpdn* —2D **4**
St Edmunds Wlk. *St Alb* —1D **20**
St Helens Clo. *Wheat* —5D **6**
St Heliers Rd. *St Alb* —1B **16**
St James Ct. *St Alb* —1A **20**
St James Rd. *Hpdn* —2D **4**
St James's Ct. *Hpdn* —1D **4**
St John's Ct. *Hpdn* —6E **5**
St John's Ct. *St Alb* —4B **16**
St John's Rd. *Hpdn* —6E **5**
St Joseph's Wlk. *Hpdn* —5C **4**
St Julian's Rd. *St Alb* —2F **15**
St Lawrence Way. *Brick W*
 —4B **22**
St Leonards Ct. *Sandr* —6C **12**
St Leonards Cres. *Sandr* —6C **12**
St Marks Clo. *Col H* —2H **21**
St Martins Clo. *Hpdn* —1E **5**
St Mary's Clo. *Redb* —3E **9**
St Marys Wlk. *St Alb* —2B **16**
St Michaels. *St Alb* —6D **14**
St Michaels Clo. *Hpdn* —6F **5**
St Michael's St. *St Alb* —5D **14**
St Nicholas Av. *Hpdn* —4C **4**
St Nicholas Ct. *Hpdn* —2B **4**
St Pauls Pl. *St Alb* —6A **16**
St Peter's Clo. *St Alb* —5F **15**
St Peter's Rd. *St Alb* —6G **15**
St Peter's St. *St Alb* —6F **15**
St Raphaels Ct. *St Alb* —5G **15**
 (off Avenue Rd.)
St Stephen's Av. *St Alb* —2D **15**
St Stephen's Clo. *St Alb* —3D **18**
St Stephen's Hill. *St Alb* —2E **19**
St Thomas Pl. *Wheat* —5D **6**

St Vincent Dri. *St Alb* —2A **20**
St Yon Ct. *St Alb* —6E **17**
Salisbury Av. *Hpdn* —3B **4**
Salisbury Av. *St Alb* —5B **16**
Salisbury Ho. *St Alb* —1E **19**
Salisbury Rd. *Hpdn* —2F **5**
Samian Ga. *St Alb* —2B **18**
Sanders Clo. *Lon C* —1D **24**
Sandfield Rd. *St Alb* —6A **16**
Sandhurst Ct. *Hpdn* —1F **11**
Sandpit La. *St Alb* —5G **15**
Sandridgebury La. *Sandr* —2G **15**
Sandridge Ct. *St Alb* —2D **16**
 (off Twyford Rd.)
Sandridge Rd. *St Alb* —3H **15**
Sandringham Cres. *St Alb*
 —1B **16**
Sauncey Av. *Hpdn* —2D **4**
Sauncey Wood. *Hpdn* —1F **5**
Sauncey Wood La. *Hpdn* —1F **5**
Saxon Clo. *Hpdn* —1E **5**
Saxon Rd. *Wheat* —6D **6**
Scholars Ct. *Col H* —3H **21**
School La. *Brick W* —6C **22**
Seaman Clo. *Park* —5F **19**
Seaton Rd. *Lon C* —6D **20**
Seed Pl. *Hpdn* —2B **4**
Sefton Clo. *St Alb* —5H **15**
Selby Av. *St Alb* —6F **15**
Severndale. *Lon C* —1F **25**
Sewell Clo. *St Alb* —6E **17**
Seymour Rd. *St Alb* —3G **15**
Shafford Cotts. *St Alb* —3B **14**
Shakespeare Rd. *Hpdn* —4D **4**
Sheepcote La. *Wheat* —5E **7**
Shelley Ct. *Hpdn* —4D **4**
Shenleybury. *Shenl* —6E **25**
Shenleybury Cotts. *Shenl* —5E **25**
Shenley La. *Lon C* —5B **20**
Shenley Rd. *Hem H* —6A **8**
Shepherd's Row. *Redb* —2F **9**
Shepherds Way. *Hpdn* —1H **3**
Sheppards Clo. *St Alb* —3G **15**
Sherwood Av. *St Alb* —3B **16**
Sherwoods Rise. *Hpdn* —5F **5**
Shirley Rd. *St Alb* —1H **19**
Short La. *Brick W* —3A **22**
Shottfield Clo. *Sandr* —5C **12**
Sibley Av. *Hpdn* —6F **5**
Silver Trees. *Brick W* —4B **22**
Singlets La. *Flam* —3A **2**
Sirdane Ho. *St Alb* —1B **16**
Skys Wood Rd. *St Alb* —2B **16**
Sleapcross Gdns. *Smal* —1H **21**
Sleapshyde La. *Smal* —1H **21**
Slimmons Dri. *St Alb* —2A **16**
Smallford La. *Smal* —1H **21**
Smallwood Clo. *Wheat* —6E **7**
Smug Oak Grn. Bus. Cen. *Brick W*
 —4D **22**
Smug Oak La. *Brick W* —4D **22**
Snatchup. *Redb* —2E **9**
Someries Rd. *Hpdn* —1E **5**
Soothouse Spring. *St Alb*
 —2H **15**
Sopwell La. *St Alb* —1F **19**
South Clo. *St Alb* —5D **18**
Southdown Ho. *Hpdn* —5E **5**
Southdown Ind. Est. *Hpdn* —6E **5**
Southdown Rd. *Hpdn* —5D **4**
South Dri. *St Alb* —6D **16**
S. Riding. *Brick W* —4B **22**
Southview Rd. *Hpdn* —2E **5**
Sparrowswick Ride. *St Alb*
 —1E **15**
Spencer Ga. *St Alb* —4G **15**

Spencer M. *St Alb* —5G **15**
Spencer Pl. *Sandr* —5C **12**
Spencer St. *St Alb* —6F **15**
Spenser Rd. *Hpdn* —4E **5**
Sphere Ind. Est., The. *St Alb*
 —1A **20**
Spicer St. *St Alb* —6E **15**
Spinneys Dri. *St Alb* —2D **18**
Spinney, The. *Hpdn* —2A **4**
Spooners Dri. *Park* —1E **23**
Springfield Cres. *Hpdn* —1C **4**
Springfield Rd. *Smal* —6H **17**
Springfield Rd. *St Alb* —1A **20**
Spring Rd. *Hpdn* —1E **3**
Springwood Wlk. *St Alb* —3D **16**
Spruce Way. *Park* —1D **22**
Square, The. *St Alb* —1D **8**
Stable Ct. *St Alb* —4G **15**
Stakers Ct. *Hpdn* —4D **4**
Stanhope Rd. *St Alb* —6H **15**
Stanley Av. *St Alb* —5C **18**
Stanmount Rd. *St Alb* —5C **18**
Stanton Clo. *St Alb* —2D **16**
Stapley Rd. *St Alb* —5F **15**
Stathers Gro. *St Alb* —1B **20**
Station App. *Hpdn* —4D **4**
Station Rd. *Brick W* —5C **22**
Station Rd. *Hpdn* —4D **4**
Station Rd. *Small* —5H **17**
Station Rd. *Wheat* —4D **6**
Stephens Way. *Redb* —2D **8**
Stewart Rd. *Hpdn* —3D **4**
Stonecross. *St Alb* —4F **15**
Stratford Way. *Brick W* —3B **22**
Suffolk Clo. *Lon C* —5C **20**
Summerfield Clo. *Lon C* —6C **20**
Summersland Rd. *St Alb* —2C **16**
Summers Way. *Lon C* —1E **25**
Sumpter Yd. *St Alb* —1F **19**
Sunderland Av. *St Alb* —5A **16**
Sun La. *Hpdn* —3C **4**
Sunnydell. *St Alb* —6D **18**
Sutton Rd. *St Alb* —1B **20**
Swallow La. *St Alb* —3B **20**
Swans Clo. *St Alb* —1E **21**
Sycamore Dri. *Park* —1F **23**
Sycamores, The. *St Alb* —1F **19**
Syon Ct. *St Alb* —1A **20**

Tallents Cres. *Hpdn* —2F **5**
Tamarisk Av. *St Alb* —2F **15**
Tanners Clo. *St Alb* —5E **15**
Tarrant Dri. *Hpdn* —6F **5**
Tassell Hall. *Redb* —1D **8**
Tavistock Av. *St Alb* —3E **19**
Tavistock Clo. *St Alb* —4F **19**
Taylor Clo. *St Alb* —1A **16**
Telford Ct. *St Alb* —1G **19**
Telford Rd. *Lon C* —1C **24**
Temperance St. *St Alb* —6E **15**
Temple View. *St Alb* —4E **15**
Tennyson Rd. *Hpdn* —2C **4**
Tennyson Rd. *St Alb* —6C **18**
Terrace, The. *Redb* —2E **9**
 (off Vaughan Mead)
Tewin Clo. *St Alb* —2C **16**
Thamesdale. *Lon C* —1F **25**
Therfield Rd. *St Alb* —2F **15**
Thirlestane. *St Alb* —5H **15**
Thirlmere Dri. *St Alb* —2B **20**
Thomas Sparrow Ho. *Wheat*
 —5C **6**
Thompsons Clo. *Hpdn* —4C **4**
Thornbury. *Hpdn* —4F **5**
Thornton St. *St Alb* —5E **15**

Thorpefield Clo. *St Alb* —3D **16**
Thorpe Rd. *St Alb* —1F **19**
Tilsworth Wlk. *St Alb* —1C **16**
Timbers Ct. *Hpdn* —3B **4**
Tingeys Clo. *Redb* —2E **9**
Tintern Clo. *Hpdn* —1G **3**
Tippendell La. *Park* —5C **18**
Tithe Barn Clo. *St Alb* —3E **19**
Tiverton Ct. *Hpdn* —1G **11**
Topstreet Way. *Hpdn* —5E **5**
Totton M. *Redb* —2F **9**
Toulmin Dri. *St Alb* —2E **15**
Tovey Clo. *Lon C* —6D **20**
Tower Hill La. *Sandr* —2F **13**
Townsend Av. *St Alb* —5G **15**
Townsend Clo. *Hpdn* —4B **4**
Townsend Dri. *St Alb* —3F **15**
Townsend La. *Hpdn* —4A **4**
Townsend Rd. *Hpdn* —3C **4**
Trafford Clo. *Shenl* —6E **25**
Trent Clo. *Shenl* —6E **25**
Trowley Hill Rd. *Flam* —4A **2**
Trumpington Dri. *St Alb* —3F **19**
Tudor Mnr. Gdns. *Wat* —6A **22**
Tudor Rd. *St Alb* —2G **15**
Tudor Rd. *Wheat* —5E **7**
Tuffnells Way. *Hpdn* —1H **3**
Turnberry Dri. *Brick W* —4A **22**
Turners Clo. *Hpdn* —1E **5**
Twyford Rd. *St Alb* —2C **16**
Tylers. *Hpdn* —4F **5**
Tynedale. *Lon C* —1F **25**
Tyttenhanger Grn. *Tyngr* —3D **20**

Uplands, The. *Brick W* —4A **22**
Uplands, The. *Hpdn* —3C **10**
Up. Culver Rd. *St Alb* —4H **15**
Up. Dagnell St. *St Alb* —6F **15**
Up. Heath Rd. *St Alb* —4H **15**
Up. Lattimore Rd. *St Alb* —6G **15**
Up. Marlborough Rd. *St Alb*
 —6G **15**
Upton Av. *St Alb* —5F **15**
Upton Clo. *Park* —5F **19**

Vale Clo. *Hpdn* —1H **3**
Vale Ct. *Wheat* —6D **6**
Valerie Clo. *St Alb* —6B **16**
Valley Grn. *Hem H* —6A **8**
Valley Rise. *Wheat* —3H **5**
Valley Rd. *St Alb* —2G **15**
Vanda Cres. *St Alb* —1H **19**
Vaughan Mead. *Redb* —2E **9**
Vaughan Rd. *Hpdn* —4D **4**
Ventura Pk. *Col S* —3H **23**
Verdure Clo. *Wat* —6A **22**
Vernon's Clo. *St Alb* —1F **19**
Ver Rd. *Redb* —1G **9**
Ver Rd. *St Alb* —6E **15**
Verulam Rd. *St Alb* —5D **14**
Vesta Av. *St Alb* —3E **19**
Vicarage Clo. *St Alb* —3E **19**
Vicarage Gdns. *Flam* —4A **2**
Victoria Rd. *Hpdn* —4D **4**
Victoria St. *St Alb* —6F **15**
Victor Smith Ct. *Brick W* —5C **22**
Village Ct. *St Alb* —2D **16**
 (off Twyford Rd.)
Villiers Cres. *St Alb* —3D **16**

Waddington Rd. *St Alb* —6F **15**
Waldegrave Pk. *Hpdn* —4F **5**
Walkers Clo. *Hpdn* —6E **5**

Walkers Rd.—York Rd.

Walkers Rd. *Hpdn* —6D **4**
Wallingford Wlk. *St Alb* —3F **19**
Walnut Clo. *Park* —1D **22**
Walsingham Way. *Lon C* —1C **24**
Walton St. *St Alb* —5H **15**
Warren Rd. *St Alb* —4E **19**
Warren, The. *Hpdn* —2C **10**
Warwick Rd. *St Alb* —4H **15**
Waterdale. *Brick* —4A **22**
Waterend La. *Redb* —2F **9**
Waterend La. *Wheat & Welw*
—5H **7**
Water La. *Lon C* —2D **24**
Waterside. *Lon C* —1E **25**
(in two parts)
Watersplash Ct. *Lon C* —1F **25**
Watery La. *St Alb* —3C **2**
Watling Knoll. *Rad* —6H **23**
Watling St. *Rad & Els* —5H **23**
Watling St. *Mark* —2A **2**
Watling St. *St Alb* —3E **19**
Watling View. *St Alb* —3E **19**
Watson Av. *St Alb* —3H **15**
Watson's Wlk. *St Alb* —1G **19**
Wavell Ho. *St Alb* —2B **20**
Waveney Rd. *Hpdn* —2E **5**
Waverley Rd. *St Alb* —4E **15**
Wayside. *Shenl* —6D **24**
Welbeck Rise. *Hpdn* —1F **11**
Welclose St. *St Alb* —6E **15**
Wellington Rd. *Lon C* —6D **20**

Wellington Rd. *St Alb* —1B **20**
Wells Clo. *Hpdn* —1A **4**
Wells Clo. *St Alb* —5E **15**
Wendover Clo. *Hpdn* —4F **5**
Wendover Clo. *St Alb* —1C **16**
Wensley Clo. *Hpdn* —1F **11**
West Av. *St Alb* —5D **18**
Westbourne M. *St Alb* —6F **15**
West Comn. *Hpdn* —5D **4**
West Comn. *Redb* —3E **9**
West Comn. Clo. *Hpdn* —2D **10**
West Comn. Gro. *Hpdn* —1D **10**
West Comn. Way. *Hpdn* —2C **10**
Westfield Av. *Hpdn* —2C **4**
Westfield Ct. *St Alb* —3D **16**
Westfield Dri. *Hpdn* —1D **4**
Westfield Pl. *Hpdn* —1D **4**
Westfield Rd. *Hpdn* —2C **4**
Westfields. *St Alb* —2C **18**
Westminster Ct. *St Alb* —2E **19**
W. Riding. *Brick W* —4B **22**
W. View Rd. *St Alb* —5F **15**
West Way. *Hpdn* —3E **5**
Weybourne Clo. *Hpdn* —3F **5**
Weyver Ct. *St Alb* —5G **15**
(off Avenue Rd.)
Wheat Clo. *Sandr* —2A **16**
Wheatfield Av. *Hpdn* —2C **10**
Wheathampstead Rd. *Hpdn*
(in two parts) —5F **5**
Wheatleys. *St Alb* —4C **16**

Wheatlock Mead. *Redb* —2E **9**
White Beams. *Park* —2D **22**
Whitecroft. *St Alb* —3B **20**
White Hedge Dri. *St Alb* —5E **15**
White Horse La. *Lon C* —6D **20**
Whiting Clo. *Hpdn* —1F **5**
Wick Av. *Wheat* —5D **6**
Wickwood Ct. *St Alb* —4B **16**
Wildwood Av. *Brick W* —4B **22**
Wilkin's Grn. La. *Smal* —5H **17**
Willoughby Rd. *Hpdn* —1D **4**
Willowby Ct. *Lon C* —6D **20**
Willow Cres. *St Alb* —6C **16**
Willowside. *Lon C* —1E **25**
Willows, The. *St Alb* —4B **20**
Willow Way. *Hpdn* —1E **5**
Willow Way. *St Alb* —1C **22**
Wilshire Av. *St Alb* —2E **19**
Wilstone Dri. *St Alb* —1C **16**
Winches Farm Dri. *St Alb* —6D **16**
Winchester Ho. *St Alb* —1E **19**
Windermere Av. *St Alb* —2B **20**
Windmill Av. *St Alb* —2C **16**
Windridge Clo. *St Alb* —2C **18**
Windsor Ct. *St Alb* —1A **20**
Wingate Way. *St Alb* —1A **20**
Wistlea Cres. *Col H* —2H **21**
Withy Pl. *Park* —2E **23**
Woodcock Hill. *Sandr* —6D **12**
Wood End. *Park* —2E **23**
Wood End Hill. *Hpdn* —2H **3**

Wood End Rd. *Hpdn* —2H **3**
Woodfield Way. *St Alb* —3C **16**
Woodland Dri. *St Alb* —5C **16**
Woodlands. *Hpdn* —2A **4**
Woodlands. *Park* —1E **23**
Woodlea. *St Alb* —5C **18**
Woodside Rd. *Brick W* —4B **22**
Woodstock Rd. N. *St Alb*
—4B **16**
Woodstock Rd. S. *St Alb* —6B **16**
Woollam Cres. *St Alb* —2E **15**
Woollams. Redb —3E **9**
(off Vaughan Mead)
Worcester Ct. *St Alb* —1A **20**
Wordsworth Rd. *Hpdn* —2C **4**
Worley Rd. *St Alb* —5F **15**
Wright Clo. *Wheat* —6D **6**
Wroxham Way. *Hpdn* —2E **5**
Wychelms. *Park* —2D **22**
Wycombe Pl. St Alb —3B **16**
(off Wycombe Way)
Wyedale. *Lon C* —1F **25**
Wynchlands Cres. *St Alb* —6D **16**

Yale Clo. *Brick* —4B **22**
Yardley Ct. *Hpdn* —4D **4**
Yeomans Av. *Hpdn* —2H **3**
Yewtree End. *Park* —1D **22**
York Ho. *St Alb* —1E **19**
York Rd. *St Alb* —5H **15**